MÉMO 4

Manuel D

Nicole Raymond
Suzanne Guillemette
Ginette Létourneau
Louise Bissonnette

GRAFICOR

MEMBRE DU GROUPE MORIN

175, boul. de Mortagne, Boucherville (Québec) J4B 6G4
Tél.: (514) 449-2369 Téléc.: (514) 449-1096

Données de catalogage avant publication (Canada)

Guillemette, Suzanne, 1953-

Mémo 1(-4) : manuel de l'élève

ISBN 2-89242-480-1 (niveau 4, série) –
ISBN 2-89242-476-3 (niveau 4, v. 1)
ISBN 2-89242-477-1 (niveau 4, v. 2)
ISBN 2-89242-478-X (niveau 4, v. 3)
ISBN 2-89242-479-8 (niveau 4, v. 4)

1. Lectures et morceaux choisis (Enseignement primaire).
I. Létourneau, Ginette, 1956-   . II. Raymond, Nicole, 1951-
III. Titre.

LB1564.C3G83 1990   448.6   C90-096194-5

MANUEL D

Collaboration
Ghislaine Bastien-Beauchamp
Hélène Boulet
Kristine Chainé
Marie-France Choinière
Michelle Leduc
Suzanne Lemay
Marie Montminy
Élyse Racine

Révision scientifique
Micheline Grenier
Alain Parent
Louise Sylvestre

Révision linguistique
Mireille Côté
Liane Montplaisir

Conception graphique
Infograf

Réalisation technique et édition électronique
Design Copilote

Illustrations et photos de la page couverture
Archives de la Ville de Québec – Les Éditions Héritage inc. –
Virginie Faucher – Leanne Franson – François Girard –
Jardin zoologique du Québec / Robert Morin – Bruno St-Aubin

© Les publications Graficor (1989) inc., 1997
    Tous droits réservés

Dépôt légal 2e trimestre 1997
Bibliothèque nationale du Québec

ISBN 2-89242-480-1 (série)
ISBN 2-89242-479-8 (v. D)

Imprimé au Canada   2 3 4 5 6 7 8 – 1 0 9 8

Table des matières

Illustration : Céline Malépart

Voici la dernière étape !

Tu te souviens certainement des symboles suivants :

Les pictogrammes illustrent

Les matières

📖 français,

🔬 sciences humaines,

🔬 sciences de la nature,

☺ formation personnelle et sociale.

Les étapes des sciences

? tu te poses des questions,

••• tu cherches, tu observes et tu expérimentes,

! tu dis ce que tu as trouvé.

Les étiquettes-stratégies concernent

M Je...	les mots,
P Je...	les phrases,
T Je...	le texte,
📢 Je...	l'oral.

D'autres étiquettes portent sur un aspect particulier de ta démarche

Je...	en français,
🔬 Comment faire ?	en sciences humaines,
🔬 Comment faire ?	en sciences de la nature.

Quand tu vois ce symbole :

près d'une carte ou d'une photo, tu dois la remplacer par un document de ta région ;

près d'un tableau, tu dois sélectionner l'information qui concerne ta région ;

▭▷ tu peux avoir à utiliser un document reproductible.

Bonne fin d'année !

L'enlèvement de la bibliothécaire (suite)

Margaret Mahy
Traduction de Marie-Raymond Farre

- Découvre la suite des aventures d'Hélène Labourdette et des brigands qui l'ont enlevée.

Je suis sensible à mes réactions.

Peu de temps après, Mlle Labourdette revenait avec plusieurs livres. « Un bain chaud pour prévenir l'éruption des boutons ! annonça-t-elle en lisant le dictionnaire, clairement et posément. La caverne doit être plongée dans l'obscurité et vous ne devez ni lire ni jouer aux cartes. Quand on a la rougeole, il faut faire attention à ses yeux. »

M fort sinistre ?

Les brigands trouvèrent fort sinistre de rester allongés dans la sombre caverne. Mlle Labourdette prit leur température et leur demanda s'ils avaient mal aux oreilles. « Il est très important de rester au chaud », dit-elle. Elle tira les couvertures jusqu'à leurs barbes de brigands et les borda si bien qu'ils ne pouvaient plus bouger.

Illustration : Joanne Ouellet

« Pour vous distraire, je vais vous faire la lecture, dit Hélène Labourdette. Quels livres avez-vous déjà lus ? » Les voleurs n'avaient rien lu. Ils étaient presque illettrés. « Bien, dit Mlle Labourdette, nous allons commencer par *Jeannot Lapin* et nous continuerons par des livres plus compliqués. »

Jamais personne n'avait fait la lecture à ces brigands, même quand ils étaient petits. Malgré leur fièvre, ils écoutaient avec beaucoup d'attention et réclamaient d'autres histoires. Le chef des brigands écoutait, lui aussi, bien que Mlle Labourdette lui ait donné pour tâche de préparer un bon bouillon pour les malades. « Racontez-nous d'autres aventures de Jeannot Lapin ! tel était le cri d'impatience que poussaient les bandits fiévreux. Racontez-nous *Alice au pays des Merveilles* ! »

L'histoire de Robin des Bois les mit mal à l'aise. Voleur comme eux, Robin, lui, était plein de nobles sentiments. Il volait les riches pour donner aux pauvres. Ces brigands-là n'avaient jamais songé à donner aux pauvres, mais seulement à garder pour eux ce qu'ils volaient.

Au bout de quelques jours, les taches s'estompaient et les brigands commencèrent à avoir faim. Mlle Labourdette consulta son *Dictionnaire pratique de médecine familiale* et y trouva des recettes de cuisine appétissantes pour les convalescents. Elle les nota pour le chef des brigands.

Après avoir eu l'idée de kidnapper la bibliothécaire, le chef des brigands envisageait de kidnapper ce dictionnaire, mais Mlle Labourdette ne voulait pas le lui laisser. « Beaucoup de gens qui viennent à la bibliothèque l'utilisent, dit-elle. Mais bien sûr, si plus tard vous avez besoin d'un renseignement, vous pourrez toujours venir le consulter. »

Quelques jours plus tard, les brigands étaient complètement guéris et Mlle Labourdette retourna à la bibliothèque avec ses clefs. L'épisode des brigands appartenait au passé, semblait-il. Le *Dictionnaire pratique de médecine familiale* retrouva sa place sur une étagère de la bibliothèque. Et la bibliothèque fut rouverte aux gens qui avaient été privés de lecture pendant la durée du kidnapping.

P le lui ?

Réagis...

1. Que penses-tu de la suite de cette histoire ? Est-elle surprenante ? décevante ? amusante ? Préfères-tu celle que tu avais imaginée ? Justifie ton point de vue.

2. Comment réagissent les voleurs aux lectures que leur fait mademoiselle Labourdette ? Qu'est-ce qui est étonnant dans cette réaction ?

3. Dans ta petite enfance, quels étaient tes livres préférés ? Ceux que mademoiselle Labourdette lit aux voleurs ou d'autres livres ?

4. Que penses-tu du caractère de mademoiselle Labourdette ?

5. Quels éléments de l'histoire sont invraisemblables ou imaginaires ?

Explique...

6. Quel est le sens des mots *fort sinistre* ? *illettrés* ? *songé* ? *s'estompaient* ?

7. Remplace les pronoms personnels *le* et *lui* dans la phrase « Après avoir eu l'idée ... mais Mlle Labourdette ne voulait pas **le lui** laisser. »

8. Dans le contexte d'un enlèvement, pourquoi la phrase « Elle tira les couvertures jusqu'à leurs barbes de brigands et les borda si bien qu'ils ne pouvaient plus bouger. » est-elle amusante ?

9. Relis le début de chaque paragraphe. Quels débuts de paragraphes aident à situer le déroulement des événements ?

Les phrases exclamatives

1. Les phrases exclamatives servent à exprimer des sentiments : joie, fierté, colère, surprise, excitation, etc.

   Racontez-nous d'autres aventures de Jeannot Lapin !

2. Ces phrases se terminent par un point d'exclamation. Certaines commencent par **comme**, **quel**, **quelle** ou **que**.

   Quelle *femme, cette mademoiselle Labourdette !*

3. On doit lire les phrases exclamatives en prenant une intonation qui révèle le sentiment exprimé.

Quelle femme, cette mademoiselle Labourdette ! Penses-tu qu'elle m'adopterait ?

Toi, dans une bibliothèque ! N'y pense même pas !

Illustration : Bruno St-Aubin

À l'essai !

Trouve les sentiments exprimés dans le texte *Corvée de pupitres*. Lis-le ensuite à voix haute et choisis l'intonation appropriée.

Corvée de pupitres

En se promenant entre les rangées de pupitres, l'enseignante a découvert notre mauvais coup. « Eh, vous deux ! Qu'avez-vous fait là ? »

Quelle catastrophe ! Une journée de vacances perdue à cause d'une « brillante » idée : graver nos initiales sur notre bureau. Samedi, retour à l'école, sans discussion possible ! Nous devrons remettre nos pupitres en bon état sous les ordres de Julia, notre concierge. Quelle misère ! Briser du matériel, c'est comme insulter Julia personnellement. Nous la voyons déjà dire : « Quelle idée saugrenue ! »

Illustration : Hélène Desputeaux

À ton tour !

1. Écris chaque phrase et ajoutes-y un point, un point d'interrogation ou un point d'exclamation.

   a) Pourquoi le chef des brigands a-t-il permis à mademoiselle Labourdette d'aller chercher son dictionnaire

   b) Qu'est-ce que mademoiselle Labourdette a utilisé pour soigner les brigands

   c) Quelle honte d'être aussi malhonnête

   d) Mademoiselle Labourdette aime bien raconter des histoires aux brigands

   e) Comme elle se montre généreuse

   f) Est-ce important de rester au chaud lorsqu'on a la rougeole

   g) Jamais personne n'avait lu d'histoires aux brigands

   h) Que de problèmes il fallait résoudre pour en arriver à une entente

2. Transforme les phrases suivantes en phrases exclamatives. Utilise différentes formulations.

   Exemple :
   Mon livre est intéressant.
   Comme ce livre est intéressant ! ou *Quel livre intéressant !*

   a) Ces brigands sont naïfs.

   b) Ces biscuits semblent appétissants.

   c) La caverne est obscure.

   d) Les brigands ont une forte fièvre.

3. Inspire-toi des illustrations qui suivent pour inventer le texte de cette bande dessinée. N'oublie pas d'utiliser le point d'exclamation pour exprimer des sentiments.

D'un paysage à l'autre

? • Rappelle-toi ce que tu as appris sur le relief, l'hydrographie et la végétation de ta région au cours de la première étape. Choisis des traits physiques mentionnés dans le tableau et des photos de cette page pour décrire le paysage de ta région.

Paysage				Traits humains
Traits physiques				
Relief	*Végétation*	*Hydrographie*	*Climat et faune*	
Plaine	Forêt mixte	Source		
Plateau	Forêt boréale	Ruisseau		
Colline	Forêt subarctique	Rivière		
Montagne		Fleuve		
Chaîne de montagnes		Océan ou mer		
Vallée		Golfe ou baie		
		Lac		
		Étang		

a)

Photo : Hydro-Québec

b)

Photo : MRN

c)

Photo : La terre de chez nous

d)

Photo : MAPAQ

e)

Photo : Ministère du Tourisme

f)

Photo : Hydro-Québec

Les ensembles physiographiques

- À quelle photo de cette page le paysage de ta région ressemble-t-il le plus ? Justifie ta réponse.
- Observe la carte et les photos. Qu'est-ce qui est représenté sur la carte ? Comment le sais-tu ?
- Quelle relation y a-t-il entre les photos et les couleurs utilisées sur la carte ?

Un ensemble physiographique est une portion de territoire dont les traits physiques, en particulier le relief, se ressemblent. Le Québec compte trois ensembles physiographiques : le Bouclier canadien, les basses-terres du Saint-Laurent et les Appalaches.

g)

h)

i)

Les ensembles physiographiques du Québec

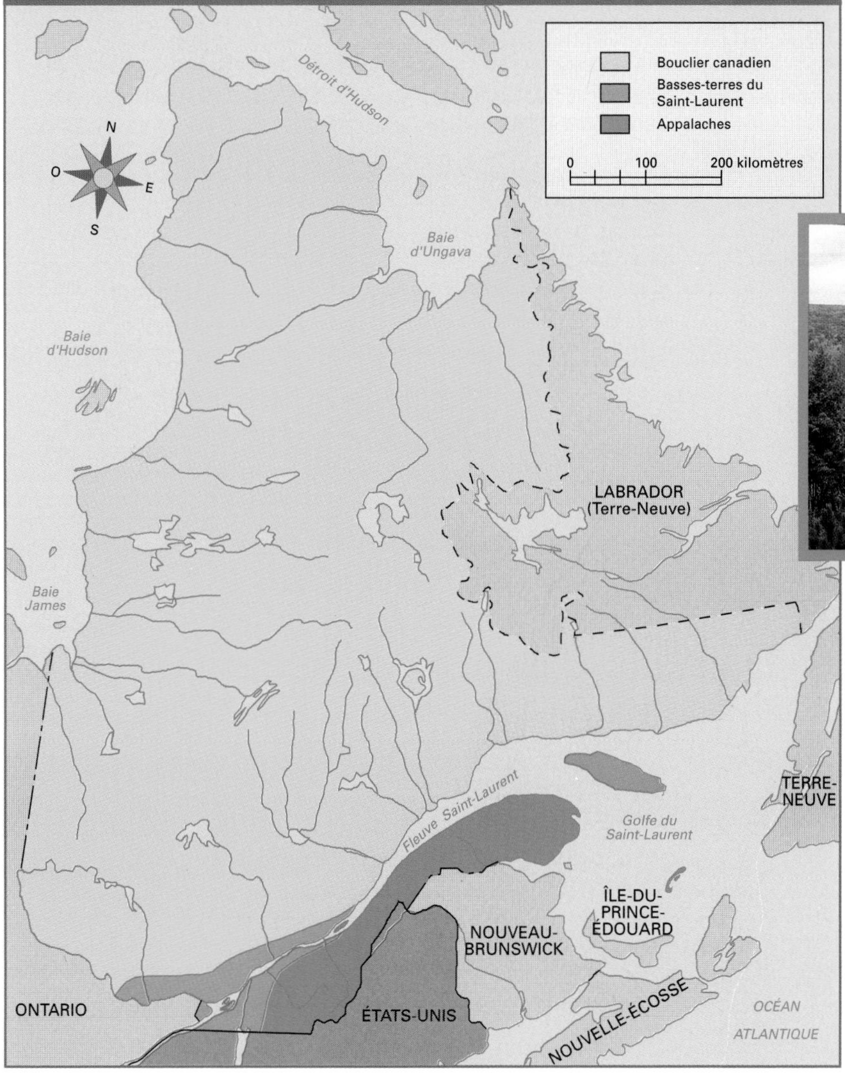

Bouclier canadien
Basses-terres du Saint-Laurent
Appalaches

Comment faire ?

Pour comprendre la carte :

- Observe la forme triangulaire du territoire : elle t'indique qu'il s'agit du Québec.

- Rappelle-toi que le bleu représente les étendues d'eau et que les territoires en gris ne font pas partie du Québec.

11

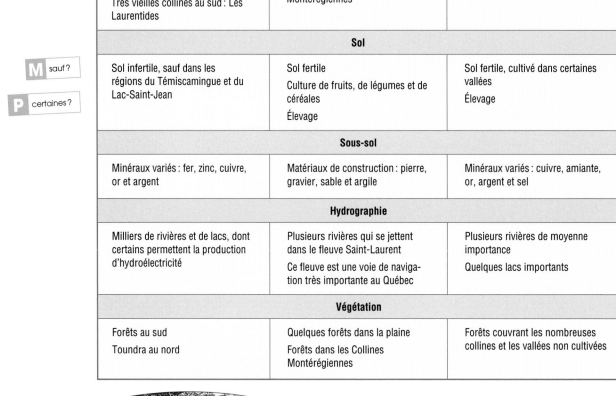

• Que peux-tu dire sur l'étendue du territoire du Bouclier canadien, des basses-terres du Saint-Laurent et des Appalaches ? sur leur hydrographie ? sur leur relief ? sur leur végétation ? Consulte la carte et les photos de la page 11 ainsi que le tableau qui suit.

T Je lis les titres du tableau.

M sauf ?

P certaines ?

Caractéristiques des ensembles physiographiques du Québec		
Bouclier canadien	**Basses-terres du Saint-Laurent**	**Appalaches**
Relief		
Plateau constitué de bosses et de creux Très vieilles collines au sud : Les Laurentides	Plaine surmontée de collines isolées : les Collines Montérégiennes	Plateau comportant des collines alignées ou de larges vallées
Sol		
Sol infertile, sauf dans les régions du Témiscamingue et du Lac-Saint-Jean	Sol fertile Culture de fruits, de légumes et de céréales Élevage	Sol fertile, cultivé dans certaines vallées Élevage
Sous-sol		
Minéraux variés : fer, zinc, cuivre, or et argent	Matériaux de construction : pierre, gravier, sable et argile	Minéraux variés : cuivre, amiante, or, argent et sel
Hydrographie		
Milliers de rivières et de lacs, dont certains permettent la production d'hydroélectricité	Plusieurs rivières qui se jettent dans le fleuve Saint-Laurent Ce fleuve est une voie de navigation très importante au Québec	Plusieurs rivières de moyenne importance Quelques lacs importants
Végétation		
Forêts au sud Toundra au nord	Quelques forêts dans la plaine Forêts dans les Collines Montérégiennes	Forêts couvrant les nombreuses collines et les vallées non cultivées

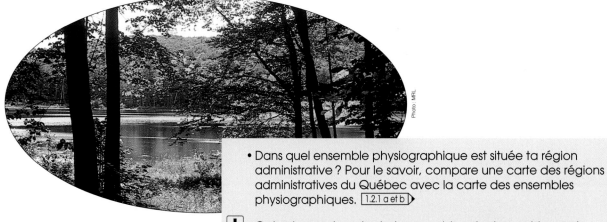

Photo : MRL

• Dans quel ensemble physiographique est située ta région administrative ? Pour le savoir, compare une carte des régions administratives du Québec avec la carte des ensembles physiographiques. 1.2.1 a et b ▷

! • Qu'as-tu appris sur les trois ensembles physiographiques du Québec ? 1.2.2 ▷

En ville !

? • Quelles sont les principales villes de ta région administrative ?
Se classent-elles parmi les plus populeuses du Québec ?

••• • Consulte le tableau qui suit pour connaître la population des principales agglomérations urbaines du Québec.

Environ huit Québécois sur dix vivent dans des agglomérations urbaines. Une agglomération urbaine regroupe une ou plusieurs villes et leurs banlieues.

Illustration : Bruno St-Aubin

L'agglomération urbaine de Montréal comprend des villes populeuses comme Laval (314 398 hab.), Longueuil (129 874 hab.), Montréal-Nord (85 516 hab.), Saint-Laurent (72 402 hab.), Brossard (64 793 hab.), Verdun (61 307 hab.), etc.

Montréal est la **métropole** du Québec, c'est-à-dire le plus grand centre urbain de la province. La ville de Montréal compte environ un million d'habitants.

L'agglomération urbaine de Québec englobe, entre autres, les villes de Sainte-Foy (71 133 hab.), Charlesbourg (70 788 hab.), Beauport (69 158 hab.) et Lévis (31 930 hab.). Québec est la **capitale** provinciale du Québec, c'est-à-dire la ville où siège le gouvernement.

Population des principales agglomérations urbaines du Québec	
Agglomération urbaine	**Population**
Montréal	3 217 242
Québec	645 550
Hull-Gatineau	226 957
Chicoutimi-Jonquière	160 928
Sherbrooke	139 194
Trois-Rivières	136 303
Saint-Jean-sur-Richelieu	68 378
Shawinigan	61 672
Drummondville	60 092
Granby	59 410
Saint-Jérôme	51 986
Saint-Hyacinthe	50 193
Rimouski	47 818
Sorel	46 365
Salaberry-de-Valleyfield	40 061
Victoriaville	39 826
Rouyn-Noranda	38 739
Joliette	37 525
Baie-Comeau	32 823
Thetford Mines	30 279
Alma	30 191
Val-d'Or	30 041
Sept-Îles	27 273
Rivière-du-Loup	23 457
Saint-Georges	23 095
Magog	20 426
Dolbeau	15 023
Matane	14 858
La Tuque	13 050
Cowansville	12 510
Lachute	11 730

Source : Statistique Canada, recensement de 1991.

Entrées en italique : agglomérations urbaines regroupant plusieurs villes et banlieues.

• Observe les photos ci-dessous et la carte de la page 15. Quelle relation y a-t-il entre ces photos et les symboles utilisés dans la légende ?

• Que peux-tu dire sur les agglomérations urbaines du Québec en considérant les trois types d'agglomérations représentés sur la carte ?

• Quelles importantes agglomérations urbaines sont reliées par l'autoroute 40 ? par l'autoroute 20 ? par l'autoroute 175 ? par l'autoroute 10 ?

a) Québec.

▲
b) Trois-Rivières.

▲
c) Montréal.

• Quelles agglomérations urbaines de ta région administrative sont représentées sur la carte de la page 15 ?

• Dans quelles régions administratives est située la plus importante agglomération urbaine du Québec ?

• Quelles régions administratives ne comptent aucune agglomération urbaine de plus de 10 000 habitants ?

! • Indique sur une carte des principales agglomérations urbaines du Québec celles qui font partie de ta région administrative. 1.3.1 ▷

Les agglomérations urbaines et le réseau routier du Québec

> ⚠️ • Dans quel ensemble physiographique sont situées la plupart des grandes agglomé-
> rations urbaines du Québec ? Où le réseau routier est-il le plus développé ? Pourquoi ?
>
> • Qu'as-tu appris sur ta région administrative ? sur le Québec ?
>
> ☺ • Quelles sont les règles de sécurité à respecter à bord d'une automobile ?

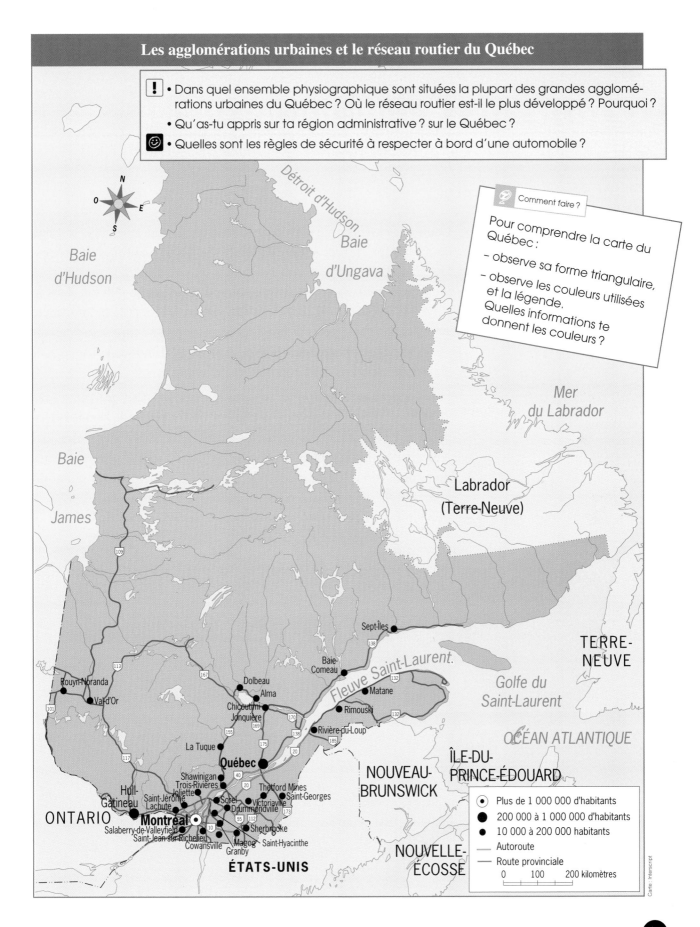

Comment faire ?

Pour comprendre la carte du Québec :
– observe sa forme triangulaire,
– observe les couleurs utilisées et la légende.
Quelles informations te donnent les couleurs ?

Baie d'Hudson

Détroit d'Hudson

Baie d'Ungava

Mer du Labrador

Baie James

Labrador (Terre-Neuve)

TERRE-NEUVE

Sept-Îles

Golfe du Saint-Laurent

Baie-Comeau

Fleuve Saint-Laurent.

OCÉAN ATLANTIQUE

Rouyn-Noranda

Val-d'Or

Dolbeau

Alma

Matane

Chicoutimi

Jonquière

Rimouski

Rivière-du-Loup

La Tuque

Québec

NOUVEAU-BRUNSWICK

ÎLE-DU-PRINCE-ÉDOUARD

Shawinigan

Trois-Rivières

Thetford Mines

Saint-Georges

Hull-Gatineau

Joliette

Saint-Jérôme

Sorel

Victoriaville

Lachute

Drummondville

ONTARIO

Montréal

Sherbrooke

Salaberry-de-Valleyfield

Saint-Jean-sur-Richelieu

Magog

Saint-Hyacinthe

Cowansville

Granby

NOUVELLE-ÉCOSSE

ÉTATS-UNIS

⊙ Plus de 1 000 000 d'habitants
● 200 000 à 1 000 000 d'habitants
• 10 000 à 200 000 habitants
— Autoroute
— Route provinciale

0   100   200 kilomètres

Carte : Interscript

15

Louis Braille

Margaret Davidson

> • Lis ce texte pour découvrir qui est Louis Braille et pourquoi les personnes non voyantes lui sont reconnaissantes.

—— *1* ——

J'invente des images et des bruits.

Louis était assis sur le perron de sa maison. C'était une belle matinée de printemps et, tout autour de lui, il se passait une foule de choses. Des nuages floconneux couraient dans un ciel d'azur. Dans un arbre tout près, un oiseau construisait son nid. Une vache paissait dans le champ d'à côté. Un lapin faisait des gambades ici et là et un insecte se déplaçait peu à peu sur une feuille. Autour de Louis, il se passait toutes sortes de choses mais il ne pouvait en voir une seule, car ce petit garçon de cinq ans était complètement aveugle.

Louis apprenait à interpréter tous les indices. Il savait qu'il était près de la boulangerie à cause de la chaleur du four et de la bonne odeur du pain. Louis reconnaissait toutes sortes de choses à leur forme et à leur texture. Mais c'étaient les sons qui lui étaient le plus utiles. Le dong-dong-dong de la cloche de l'église, l'aboiement du chien du voisin, un merle sifflant dans un arbre, le glouglou du ruisseau. Il savait ainsi où il se trouvait et ce qui se passait autour de lui.

P ainsi ?

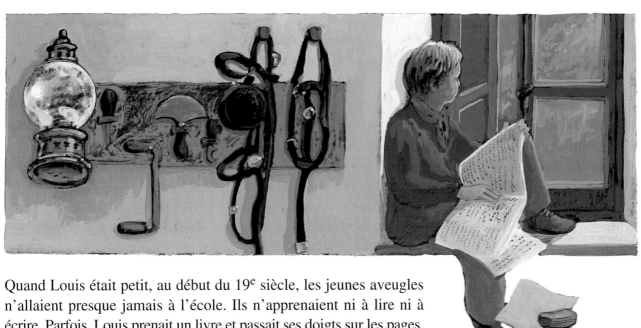

Quand Louis était petit, au début du 19e siècle, les jeunes aveugles n'allaient presque jamais à l'école. Ils n'apprenaient ni à lire ni à écrire. Parfois, Louis prenait un livre et passait ses doigts sur les pages. Il savait que sur ces pages lisses étaient imprimés des mots. Mais pas pour lui ! Toutes les merveilleuses choses du monde étaient là, dans les livres. Et lui, probablement, ne pourrait jamais les apprendre !

Il y avait tellement de questions qu'il souhaitait poser, tellement de choses qu'il souhaitait savoir. Si seulement il pouvait lire et trouver seul les réponses à ses questions. Pour cela, il lui faudrait aller à une école spéciale, une école pour aveugles. C'est ainsi que, par une froide journée de février 1819, Louis prit le chemin de l'Institut Royal pour enfants aveugles.

—— 2 ——

En 1820, les aveugles ne pouvaient lire que grâce à un procédé appelé *impression en relief*. Sur la page, chaque lettre était imprimée en relief de façon que les doigts puissent l'identifier.

M procédé ?

Au toucher, certaines lettres étaient faciles à reconnaître, mais les autres... Sous les doigts, Q ressemblait à O ; O ressemblait à C ; I était finalement T ; R et B étaient presque semblables.

Louis voulait absolument lire. Sans arrêt il passait ses doigts sur les lettres pour apprendre à les identifier et à les différencier les unes des autres. Enfin, lettre après lettre, il se mit à former des mots. Mais c'était si lent ! Louis était l'un des plus brillants garçons de sa classe. Cependant, même lui oubliait parfois le début d'une phrase avant d'en déchiffrer la fin. Alors il fallait tout recommencer depuis le début.

Lire un livre de cette façon prendrait des mois. Il devait y avoir un autre moyen ! Il le fallait. Bientôt cette idée l'obséda, et ses amis commencèrent à être fatigués de ne l'entendre parler que de cela.

17

Un jour, Louis eut une nouvelle idée. Il prit un crayon et fit six points sur un morceau de papier épais. Il appela *cellule* ce groupe de six points. Les voilà :

Puis il numérota chaque point :

Ensuite il prit son poinçon et poinçonna le point numéro 1 ; ce serait le A :

Il poinçonna les points 1 et 2 ; ce serait le B :

Les points saillants 1 et 4 formeraient le C :

Il fit ainsi lettre après lettre et, quand il eut tout fini, son alphabet ressemblait à ceci :

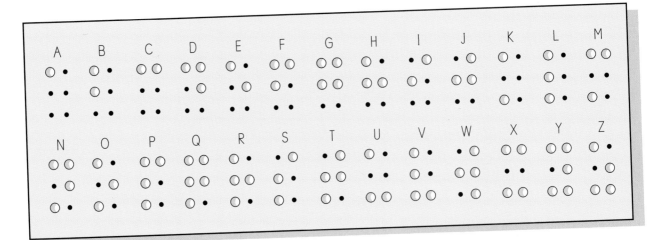

Louis passa les doigts sur son alphabet. C'était si simple ! Si simple ! Louis Braille, ce garçon de quinze ans, avait envie de crier, de pleurer ou de chanter de joie.

—— 4 ——

En 1847 fut fabriquée la première presse à imprimer en braille. Il était maintenant possible d'utiliser une machine pour faire des livres pour aveugles au lieu de les faire si lentement à la main. Six ans après sa mort, la première école pour aveugles aux États-Unis se mit à utiliser son alphabet. Trente ans plus tard, presque toutes les écoles pour aveugles en Europe l'avaient adopté.

M presse ?

P l' ?

Illustrations : Monique Chaussé

Découvre le personnage

1. Comment Louis, qui est privé de la vue, utilise-t-il...
   a) le toucher ?
   b) l'odorat ?
   c) l'ouïe ?

2. *a)* Quel est le plus grand désir de Louis ?
   b) Quels obstacles l'empêchent de réaliser ce désir ?

3. Compare le procédé d'écriture appelé *impression en relief* et la méthode de Louis Braille. En quoi ces deux façons d'écrire se ressemblent-elles ? se distinguent-elles ?

Réagis...

4. Pourquoi l'invention de Louis est-elle importante pour les personnes non voyantes ?

5. Quelle qualité de Louis Braille t'impressionne le plus ?

6. Louis Braille est mort en 1852. Crois-tu qu'il a pu bénéficier de son invention ? Justifie ton point de vue.

Agis...

7. Écris un court message en utilisant l'alphabet braille, et fais-le lire à un ami ou à une amie.

Explique...

8. Comment as-tu fait pour comprendre le sens des mots *procédé* ? *l'obséda* ? *presse* ?

9. Remplace tous les mots de substitution dans la phrase « Bientôt cette idée l'obséda, et ses amis commencèrent à être fatigués de ne l'entendre parler que de cela. » (2e partie).

10. De quoi est-il question dans la phrase « Et lui, probablement, ne pourrait jamais les apprendre ! » (1re partie) ?

11. Quel lien dois-tu faire pour comprendre la phrase « Il savait ainsi où il se trouvait et ce qui se passait autour de lui. » (1re partie) ?

Est-ce que tu peux faire le portrait d'une phrase, Galipette ?

Le portrait d'une phrase ! Es-tu tombé sur la tête, Truc-Astuce ? Je ne possède pas le genre d'appareil photo qui peut faire ça !

L'analyse des mots dans une phrase

1. Les mots qui composent une phrase peuvent être considérés sous différents aspects :

- fonction : sujet (S), complément (C), attribut (A)
- nature : nom, adjectif, verbe (V), pronom, déterminant, adverbe, mot de relation
- genre : masculin, féminin
- nombre : singulier, pluriel
- etc.

| S (plur.) | | | V (3ᵉ pers. plur.) | | | C | | |

Des nuages floconneux / couraient / dans un ciel bleu.

dét.	nom	adj.		mot de relation	dét.	nom	adj.
m p	m p	m p			m s	m s	m s

2. L'analyse permet de vérifier la structure de la phrase et les accords des mots.

À l'essai !

1. Fais le portrait de la phrase qui suit. Où est le sujet ? le verbe ? le complément ?

Des bénévoles   /   travaillaient   /   avec les jeunes chiens.

2. Énumère les caractéristiques grammaticales de chaque mot de la phrase précédente.

Exemples :

Des : déterminant, masculin, pluriel

travaillaient : verbe travailler, 3ᵉ personne du pluriel, imparfait de l'indicatif,

sujet : bénévoles

À ton tour !

1. Dans les phrases suivantes, repère le sujet (S), le verbe (V) et le ou les compléments (C).

   a) La Fondation Mira / possède / son propre élevage de chiens.

   b) Vers l'âge de deux mois, / les chiots / vont / dans une famille d'accueil.

   c) Les futurs chiens-guides / reviennent / au chenil / vers l'âge de un an et demi.

   d) Dans leur famille d'accueil, / ils / ont vécu / une vie normale de jeunes chiens.

Photo : Archives Fondation Mira

2. Donne toutes les informations grammaticales sur chaque mot de la phrase qui suit.

   Les bons chiens-guides évitent les dangers.

   Exemple : chiens-guides : nom, masculin, pluriel, sujet de évitent

3. Lis les phrases qui suivent et réponds aux questions.
   – Dans quelles phrases y a-t-il un complément placé en début de phrase ?
   – Quelle phrase contient un pronom complément ?
   – Quelle phrase correspond au portrait suivant : sujet, verbe, complément, complément ?
   – Dans ces phrases, quels compléments répondent à la question *quand* ?
   – Quels compléments répondent à la question *où* ?

   a) À dix-neuf mois, / Helen Keller / perdit / la vue et l'ouïe.

   b) Annie Sullivan / lui / enseigna / la lecture et l'écriture.

   c) Au début, / elle / épelait / chaque mot / dans la main d'Helen.

   d) Helen Keller / poursuivit / ses études / au collège.

Illustration : Johanne Pépin

4. Écris une phrase correspondant au portrait qui suit.

   complément / sujet / verbe / complément

Délire de lire

L'intrus

En équipes, trouvez six à dix livres ayant un point en commun. Ajoutez-y un livre intrus et invitez les élèves de la classe à le découvrir.

Trompez vos amis en choisissant un point commun peu évident.

Une fois l'intrus découvert, prenez le temps de feuilleter les livres recueillis.

Illustration : Bruno St-Aubin

Une page de ma vie

Décris ton apprentissage de la lecture ou un autre apprentissage important pour toi. Tu écriras ainsi une page de ta biographie.

1.4.1 ▷

1. Planifie

Par exemple, imagine-toi plus jeune, alors que tu ne sais pas encore lire. Que fais-tu avec les livres ?

> Je me rappelle mes expériences.

Comment apprends-tu à lire ? Maintenant, que penses-tu de la lecture ?

2. Rédige et organise

À l'ordinateur ou à la main, écris ta page de vie. Regroupe tes idées en trois paragraphes.

3. Révise

Lis un texte autre que le tien. Souligne les détails intéressants dans ce texte. ☐A ▷

P J'ajoute des adjectifs et des adverbes.

T J'utilise le bon temps de verbe.

P Je vérifie l'emploi du mot *et*.

Ma mère m'a acheté des petits livres de lecture accompagnés de cassettes. J'aimais beaucoup entendre le son de la clochette, qui m'indiquait quand changer de page.

Illustrations : Céline Malépart

4. Diffuse

Remets ta page de vie à une personne de ton choix.

Au sujet de...

Flot, qui as-tu vu pour te mettre dans cet état ?

Je lui ai dit ceci, et je lui ai dit cela, alors elle a répondu ceci, mais j'ai répliqué cela.

Passé composé de l'indicatif

Voir		Dire	
j'	ai vu	j'	ai dit
tu	as vu	tu	as dit
il, elle	a vu	il, elle	a dit
nous	avons vu	nous	avons dit
vous	avez vu	vous	avez dit
ils, elles	ont vu	ils, elles	ont dit

Illustration : Bruno St-Aubin

À l'essai !

En équipes de deux, inventez une conjugaison farfelue au passé composé de l'indicatif, à l'aide du verbe *dire*, et une autre à l'aide du verbe *voir*. Orthographiez correctement tous les mots de vos phrases.

a) J'ai dit : « Allons jouer. »

Tu as dit : « Pourquoi jouer quand on peut travailler ? »

Il ou elle...

...

b) J'ai vu un dinosaure dans la vallée.

Tu...

...

À ton tour !

1. Dans le texte *Un fidèle compagnon*, repère les verbes *voir* et *dire* conjugués au passé composé de l'indicatif. Classe-les ensuite dans un tableau.

Voir	Dire

Un fidèle compagnon

Chère tante Jeanne,

Hier, maman et moi, nous avons vu un magnifique chien-guide dans la rue. Tu as sans doute déjà vu ce genre d'animal. Il accompagnait une dame non voyante. Cette dame m'a dit que son chien avait été dressé par la Fondation Mira. J'ai donc téléphoné pour obtenir des renseignements. Les responsables m'ont expliqué que le labrador et le bouvier bernois sont des chiens aptes à faire ce travail. Ils m'ont dit aussi qu'il faut au moins six mois pour les dresser. J'ai dit à maman que ça pourrait t'intéresser. Tu devrais songer à en demander un pour Lucie !

Grosses bises,
Léonie

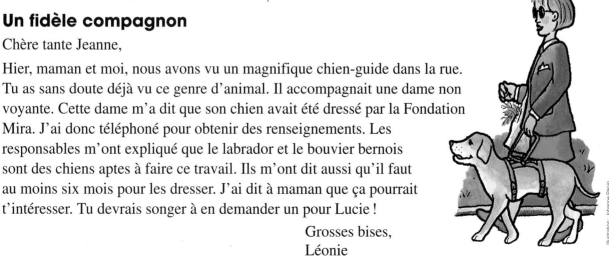

Illustration : Johanne Pépin

2. Révise tes connaissances. Dans le texte *Un fidèle compagnon*, trouve...

   a) un verbe autre que *voir* et *dire*, conjugué au passé composé de l'indicatif,

   b) trois verbes à l'infinitif,

   c) trois adjectifs.

3. Dans les phrases qui suivent, indique le temps et le mode (présent de l'indicatif, imparfait de l'indicatif, futur simple de l'indicatif, passé composé de l'indicatif ou conditionnel présent), ainsi que la personne auxquels les verbes *voir* et *dire* sont conjugués.

   *Exemple : Tous les soirs, je **vois** ma mère lire le journal.*

Temps et mode	*Personne*
présent de l'ind.	*1re pers. sing.*

   a) Tu m'**as** toujours **dit** que tu aimais lire.

   b) Vous **disiez** souvent que la lecture est un passe-temps stimulant.

   c) Ta sœur **verrait** mieux si elle portait ses lunettes.

   d) Nous **dirons** aux marchands les titres de nos livres préférés.

   e) Mes amis **disaient** que tu n'aimais que les bandes dessinées.

   f) Je cherche mon roman. L'**as**-tu **vu**?

   g) Vous **verrez** comme sa petite sœur lit bien.

   h) Nous ne **dirions** pas que tu lis bien si ce n'était pas vrai.

   i) Pedro **voit** que la lecture permet d'explorer des univers fascinants.

   j) Sonia et Marie **ont** bien **vu** que tu dévorais ce roman.

   Illustration : Leanne Franson

4. Repère dans chaque phrase le verbe employé au passé composé de l'indicatif et note son infinitif.

Verbe	Infinitif
a) est né	naître

Un enfant déterminé

   a) Louis Braille est né en 1809 dans la petite ville française de Coupvray.

   b) Lorsqu'il avait trois ans, un accident lui a fait perdre l'usage de ses yeux.

   c) Malgré son handicap, il a toujours voulu étudier.

   d) C'est pourquoi il est allé à l'Institut Royal pour enfants aveugles de Paris.

   e) À partir de l'âge de 12 ans, il a travaillé à mettre au point un alphabet pour les non-voyants.

   f) Il a réussi cet exploit alors qu'il avait 15 ans.

   g) En 1847, la première machine à imprimer le braille a vu le jour.

   h) Grâce à Louis Braille, des non-voyants du monde entier ont pu lire et s'instruire.

5. Conjugue de mémoire les verbes *voir* et *dire* au passé composé de l'indicatif.

À vos marques !

1. Complète chacune des phrases à l'aide d'un verbe de la liste qui suit.

baigner découvrent partez pensent ramassons revient tournons visitent

a) C'est aujourd'hui que ma mère ✎ de voyage.

b) Mes parents ✎ déménager dans une autre ville.

c) J'aime bien me ✎ pendant l'été.

d) Nous ✎ beaucoup de coquillages près de la mer.

e) Vous ✎ pour la Gaspésie par le train de 17 heures.

f) Régulièrement, les astronomes ✎ de nouvelles étoiles.

g) Nous ✎ en rond dans cette ville inconnue depuis au moins 30 minutes.

h) Les amis de mes parents ✎ la région pour la première fois.

2. Connais-tu bien les expressions formées avec le mot *fil* ?
Associe chacune d'elles à sa signification. Tu peux utiliser ton dictionnaire.

a) perdre le fil	1. causer des ennuis
b) donner du fil à retordre	2. passer un coup de téléphone
c) ne tenir qu'à un fil	3. petit à petit
d) donner un coup de fil	4. être fragile, être sur le point de rompre
e) être au bout du fil	5. être en communication téléphonique
f) de fil en aiguille	6. ne plus savoir ce qu'on voulait dire

3. Dans la rubrique « Mot à mot », trouve...

a) trois mots qui comportent des consonnes doubles,

b) un mot qui contient un *h* muet,

c) un mot qui se termine comme *bain*,

d) deux mots qui commencent et se terminent par une voyelle,

e) un mot de la même famille que le verbe *amoindrir*.

Mot à mot

1.4.2 ▶

partout	tour	ballon	étage	restaurant	théâtre
venir	tourner	penser	marché	riche	usine
revenir	visite	fil	promenade	salut	découvrir
partir	visiter	baigner	ramasser	spectacle	moins
repartir	traverser	bain	ramener	terrain	au moins

Un élevage en classe

1. Avant la consultation, l'observation ou l'expérience

- Avec la classe, observe des petits mammifères. Puis, en équipes de trois, notez les questions que vous vous posez.

Exemple :

?
- Que sais-tu des mammifères ? Lesquels reconnais-tu facilement ?
- Quels mammifères vois-tu dans ton milieu ? Lesquels vivent ailleurs ?
- Dessine un mammifère et désigne les différentes parties de son corps.
- Quelles sont les caractéristiques communes à tous les mammifères ?

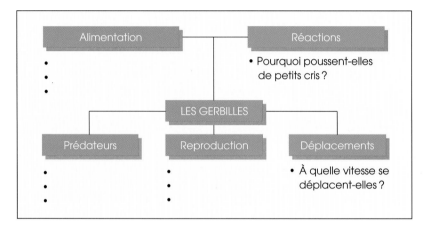

LES GERBILLES

Alimentation

Réactions
- Pourquoi poussent-elles de petits cris ?

Prédateurs

Reproduction

Déplacements
- À quelle vitesse se déplacent-elles ?

- Pour chaque question, indiquez le ou les moyens permettant de trouver la réponse : consultation (C), observation (O) ou expérience (E).
- Choisissez trois questions nécessitant des moyens différents. Pour chaque question, notez une réponse à partir de vos connaissances. C'est votre anticipation.

Je rédige.

- Planifiez votre consultation, votre observation ou votre expérience. Notez ensuite le matériel dont vous aurez besoin.

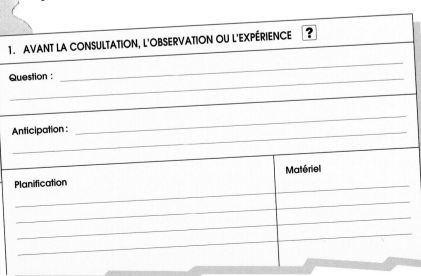

1. AVANT LA CONSULTATION, L'OBSERVATION OU L'EXPÉRIENCE **?**

Question :

Anticipation :

Planification	Matériel

Illustration : Bruno St-Aubin

2. *Pendant la consultation, l'observation ou l'expérience* •••

• Notez le résultat de la consultation, de l'observation ou de l'expérience.

2. PENDANT LA CONSULTATION, L'OBSERVATION OU L'EXPÉRIENCE •••

Résultat

Je consulte, je sélectionne et je note.

3. *Après la consultation, l'observation ou l'expérience* !

• Décrivez votre résultat et faites une comparaison avec l'anticipation que vous avez formulée.
Celle-ci est-elle confirmée ou infirmée ? Justifiez votre réponse.

• Rédigez votre conclusion et présentez-la aux autres élèves.

P *Je relis chaque phrase.*

J'explique ma démarche.

3. APRÈS LA CONSULTATION, L'OBSERVATION OU L'EXPÉRIENCE !

Description du résultat

Conclusion

Anticipation confirmée _____

Anticipation infirmée _____

! • Qu'avez-vous appris sur les petits mammifères qu'il y a dans votre classe ?

Le phoque blanc

Rudyard Kipling
Traduction de Catherine Faye

• Découvre les aventures de Kotick, le phoque blanc qui quitte son amoureuse et part à la recherche d'une île inhabitée.

Kotick, un jeune phoque de un an, assiste, horrifié, au massacre d'un troupeau de phoques. Parce qu'il est blanc, les chasseurs l'épargnent. Il décide alors de partir à la recherche d'une île où les phoques pourront vivre en sécurité.

—— 1 ——

Kotick explora, explora, tout seul, du Pacifique Nord au Pacifique Sud, parcourant jusqu'à cinq cents kilomètres en un jour et une nuit. Il lui advint plus d'aventures qu'on n'en peut imaginer ; il manqua de peu être pris par le requin pèlerin, le requin tacheté et le requin marteau ; il rencontra tous les bandits déloyaux qui fainéantent partout dans les océans, ainsi que les gros poissons polis et les coquilles Saint-Jacques, tachetées d'écarlate, qui demeurent des centaines d'années fixées au même endroit et en tirent beaucoup d'orgueil. [...]

—— 2 ——

En allant vers le nord, il s'arrêta sur une île couverte d'arbres verts où il découvrit un vieux, vieux phoque qui se mourait. Kotick lui attrapa du poisson et lui conta toutes ses déconvenues. « Maintenant, dit-il, je retourne à Novastoshnah et, si l'on me conduit aux abattoirs avec les *holluschickies**, cela me sera égal. »

* Jeunes mâles.

P Devant une phrase longue, je...

Le vieux phoque dit : « Essaie encore une fois. Je suis le dernier sur-vivant de la colonie perdue de Mas Afuera et, à l'époque où les hommes nous tuaient par centaines de milliers, on racontait une his-toire sur les plages disant qu'un phoque blanc arriverait du nord et conduirait le peuple des phoques en un lieu paisible. [...]

 nous ?

—— 3 ——

Cette fois, Kotick se dirigea vers l'ouest parce qu'il était tombé sur la piste d'un grand banc de flétans et qu'il lui fallait au moins quarante-cinq kilogrammes de poisson par jour pour rester en forme. Il les poursuivit jusqu'à ce qu'il se sente fatigué, puis il se roula en boule et s'endormit au creux de la houle aux abords de l'île du Cuivre.

banc ?

Il connaissait parfaitement bien cette côte, aussi, vers minuit, lorsqu'il se sentit heurter doucement un lit d'algues, il dit : « Hum ! le courant de marée est fort ce soir », et, se retournant sous l'eau, il ouvrit lente-ment les yeux et s'étira. Puis il sauta comme un chat, car il découvrait d'énormes choses qui pointaient le nez çà et là dans l'eau peu pro-fonde et qui broutaient les épaisses bordures d'algues. « Par les Grandes Déferlantes de Magellan ! dit-il sous sa moustache, mais qui donc sont ces gens ? »

Ils ne ressemblaient ni au morse, ni au lion de mer, ni au phoque, ni à l'ours, ni à la baleine, ni au requin, ni au calmar, ni à la coquille Saint-Jacques qu'avait déjà vus Kotick auparavant. Ils avaient environ trois mètres de long, pas de nageoires arrière mais une queue semblable à une pelle qui paraissait avoir été taillée dans du cuir mouillé. [...]

ces gens ?

Quand ils recommencèrent à manger, Kotick vit que leur lèvre supérieure était fendue en deux parties. Ils pouvaient écarter d'un coup l'une et l'autre d'environ 30 centimètres et les rapprocher en ramenant tout un boisseau d'algues dans cette sorte de pince. [...]

l'une et l'autre ?

Illustrations : Leanne Franson

29

Kotick décide de suivre le troupeau de vaches de mer. Il pense qu'elles seraient mortes depuis longtemps si elles n'avaient pas découvert une île où vivre en sécurité. Patient, le phoque blanc les accompagne dans leurs lents déplacements.

—— *4* ——

Une nuit, les vaches de mer se laissèrent couler au fond de l'eau brillante – couler comme des pierres – et, pour la première fois depuis qu'il les connaissait, elles commencèrent à nager vite. Kotick les suivit et leur allure le stupéfia, car il n'avait jamais imaginé qu'une vache de mer pût être une bonne nageuse. Elles mirent le cap sur une falaise proche de la grève, une falaise qui s'enfonçait profondément dans la mer, et plongèrent dans un trou sombre à sa base, à vingt brasses sous la surface. Ce fut un très, très long trajet, et Kotick manqua cruellement d'air frais bien avant de sortir du sombre tunnel qu'elles lui faisaient emprunter.

M emprunter ?

« Par ma perruque ! dit-il quand il émergea, haletant et soufflant, en eau libre à l'autre bout, le plongeon a été long, mais il en valait la peine. » Les vaches de mer s'étaient séparées et paissaient paresseusement à la lisière des plages les plus belles que Kotick eût jamais vues. [...]

Kotick devina au contact de l'eau [...] qu'aucun homme n'était jamais venu là. [...]

Il explora cette nouvelle région à fond, de manière à pouvoir répondre à toutes les questions possibles. Puis il plongea et s'assura de l'emplacement de l'ouverture du tunnel et fila en direction du sud.

Il lui fallut bien dix jours pour retourner chez lui, même en nageant vite, et lorsqu'il sortit de l'eau, juste au-dessus de Sea Lion's Neck, la première personne qu'il rencontra fut la demoiselle qui l'avait attendu ; elle comprit, à l'expression de ses yeux, qu'il avait enfin trouvé son île.

Raconte l'essentiel du récit

1. *a)* Quel personnage vient en aide à Kotick lorsque celui-ci est découragé ?
   b) Comment aide-t-il Kotick ?

2. Quelle rôle les vaches de mer jouent-elles dans cette histoire ?

3. Quel danger Kotick affronte-t-il en suivant les vaches de mer sous l'eau ?

Prévois...

4. *a)* D'après toi, que fera Kotick lorsqu'il sera de retour chez lui ?
   b) Quels nouveaux défis ou quels problèmes l'attendent ?

Réagis...

5. Kotick est-il un personnage sympathique ?
   Explique ton point de vue.

6. Quelles connaissances doit-on posséder sur les phoques pour rédiger un récit d'aventures comme *Le phoque blanc* ?

Explique...

7. Donne deux sens différents aux mots *banc* et *emprunter*.

8. À quoi Kotick compare-t-il la queue et la bouche des vaches de mer ?

9. Remplace les mots de substitution des étiquettes-stratégies
   P nous ? , P ces gens ? et P l'une et l'autre .

10. Choisis une longue phrase dans le texte et fais part des stratégies que tu as utilisées pour la comprendre.

Illustrations Leanne Franson

Au sujet de...

Je suis bien équipé et bien organisé ! Voici les traces que je laisse sur les phrases difficiles :

Devant une phrase difficile...

Je trouve la cause du problème et je choisis le moyen approprié pour le résoudre.

- Associer / remplacer :

  P Je remplace les pronoms.　　**P** Je fais des liens entre les phrases.

- Ajouter / enlever :

  P J'ajoute les mots qui manquent.　　**P** Je reformule.

- Séparer :

  P Avec une phrase, j'en fais plusieurs.　　**P** J'utilise la ponctuation.

- Relire :

  P Je lis en groupant les mots.　　**P** J'utilise une intonation différente.

Il fallut bien dix jours à Kotick pour retourner chez lui, /　(Kotick)

[même en nageant vite,] / et lorsqu'il sortit de l'eau, /

[juste au-dessus de Sea Lion's Neck,] / la première personne　(Kotick)　(son amoureuse)

qu'il rencontra / fut la demoiselle qui l'avait attendu...

P Je reformule.　　**Kotick revient et revoit sa bien-aimée.**

Illustration : Bruno St-Aubin

À l'essai !

1. Quelles sont les difficultés de lecture dans les phrases qui suivent ? Recouvre ton manuel d'un acétate et laisse des traces des stratégies que tu utilises. Reformule ensuite chaque phrase.

   a) Kotick connaissait parfaitement bien cette côte, aussi, vers minuit, lorsqu'il se sentit heurter

   doucement un lit d'algues, il dit : « Hum ! le courant de marée est fort ce soir »,

   et, se retournant sous l'eau, il ouvrit lentement les yeux et s'étira.

   b) Les vaches de mer mirent le cap sur une falaise proche

   de la grève, une falaise qui s'enfonçait profondément

   dans la mer, et plongèrent dans un trou sombre à sa

   base, à vingt brasses sous la surface.

Illustration : Leanne Franson

2. Lis à voix haute les phrases de l'exercice précédent en tenant compte des signes de ponctuation.

Un mammifère en péril

Choisis un mammifère qui te donne le goût d'écrire un récit d'aventures. Consulte des ouvrages de référence pour trouver des informations sur cet animal. 2.2.1 ▶

1. Planifie

Note les résultats de ta recherche.

Je consulte, je sélectionne et je note.

Imagine ensuite les éléments essentiels de ton récit.

Problème :

Tentative de solution :

Personnage qui apporte de l'aide :

Difficultés :

Solution :

Fin :

2. Rédige

Traduis en phrases les idées de ton plan. Porte attention aux temps des verbes.

M Je souligne les mots incertains.

3. Révise

Élimine les répétitions inutiles. Répète un mot pour insister sur un élément du récit. A ▶

P J'accorde les verbes.

« Nanouka lance un rugissement, un rugissement terrible qui glace le sang de ses deux petits. »

Cette répétition donne l'impression qu'elle rugit très fort.

4. Diffuse

Transcris ton récit à la main ou à l'ordinateur. Lis-le à des personnes qui t'ont raconté des histoires au cours de ton enfance.

Au sujet de...

Passé composé de l'indicatif

Venir		Savoir	
je	**suis venu, venue**	j'	**ai su**
tu	**es venu, venue**	tu	**as su**
il, elle	**est venu, venue**	il, elle	**a su**
nous	**sommes venus, venues**	nous	**avons su**
vous	**êtes venus, venues**	vous	**avez su**
ils, elles	**sont venus, venues**	ils, elles	**ont su**

Je suis venu,
j'ai vu,
j'ai vaincu.

Cher César,
j'ai toujours su
que vous étiez
un héros invincible...

À l'essai !

1. Imagine les paroles de certains personnages. Invente un dialogue amusant en y insérant les verbes *venir* et *savoir* employés au passé composé de l'indicatif. Qui parle ? À qui ?

Hansel et Gretel	Toi et ton enseignant ou ton enseignante
Tintin et Milou	Léonard le génie et son disciple
Une directrice d'école et une élève	Boule et Bill
Deux amies	Cendrillon et sa marraine

2. Dans chacune des phrases suivantes, modifie le sujet afin de changer l'accord du verbe.

Exemple : Kotick ***est venu*** *nager dans les eaux peu profondes.*
*Les phoques **sont venus** nager dans les eaux peu profondes.*

a) Les poissons sont venus près de la rive.

b) Le jeune ourson a su trouver la solution du problème.

c) Les mouettes sont venues se poser sur la grève.

d) Le requin a su attraper une proie.

e) J'ai su replacer en ordre tous les événements du récit.

 34

À ton tour !

1. À l'aide d'un élément de chaque case, compose cinq phrases différentes.
   Ajoute d'autres mots pour que tes phrases aient un sens.

Les vaches de mer	ont su
La capitaine du bateau	sommes venus
Les mouettes	avez su
Le requin	est venu
L'amoureuse de Kotick	est venue
Une chatte de gouttière	sont venus
Nous	sont venues
Vous	a su
	avez su
	êtes venues

2. Mets au passé composé de l'indicatif les verbes entre crochets dans le texte *Les loups*.

Les loups

Une meute de loups habite dans la forêt située derrière chez nous.
La nuit dernière, ils *¹*(venir) près de la maison. En les entendant
hurler, nous *²*(savoir) qu'ils étaient là. Pour ces animaux, le
clan est très important. J'*³*(lire) qu'ils développent des stratégies
d'équipe pour chasser le gros gibier. Ensuite, ils partagent le
fruit de leur capture.

Il y a quelques mois, une louve *⁴*(donner) naissance à des
petits. Dès qu'elle les a vus, elle *⁵*(savoir) comment s'en
occuper. Rapidement, les louveteaux *⁶*(grandir) et ils
⁷(commencer) à s'amuser. Récemment, j'*⁸*(voir) l'un
d'eux dans la forêt. Il s'était sans doute égaré. Je
⁹(aller) dans sa direction. Je l'*¹⁰*(trouver) très mignon !
J'aurais aimé l'apprivoiser. Mais j'*¹¹*(penser) que ce
n'était pas une très bonne idée...

À vos marques !

1. Repère les mots de la rubrique « Mot à mot » qui correspondent à chaque description.

   a) Mots se terminant par une consonne muette.

   b) Mots contenant une double consonne.

2. Mets en ordre alphabétique les mots de la rubrique « Mot à mot ».

3. Trouve à quel mot de la rubrique «Mot à mot» correspond chaque définition.

a) Ensemble des activités menant à des découvertes.

b) Vif besoin de manger.

c) Venir au monde.

d) Suite de mots qui a du sens.

e) Prendre soin de quelqu'un.

f) Petit de la poule.

g) Sans bruit, sans agitation, paisible.

4. Dans chacune des phrases suivantes, utilise la forme du verbe *falloir* qui convient.

falloir   faut   faudrait   fallait   a fallu   faudra

a) Aujourd'hui, il ✎ que tu nettoies ta chambre.

b) La semaine dernière, il ✎ s'habiller chaudement parce qu'il faisait très froid.

c) Si tu avais un chien, il ✎ que tu t'en occupes.

d) Le verbe ✎ s'orthographie avec deux *l*.

e) Demain, il ✎ terminer le casse-tête pour libérer la table.

Mot à mot

2.2.2 ▷

dent	nue	tranquille
domestique	phrase	en train de
dos	posséder	vraiment
mai	pur	mort
poussin	pure	morte
tuer	recherche	naître
vivre	remarquer	respirer
zoo	réussir	maladie
ferme	soigner	
repas	soin	
bête	sujet	
faim	système	
falloir	tellement	
lion		
lionne		
nu		

La roue de la vie

Louise Sylvestre

Illustration : Bruno St-Aubin

Je fais appel à mes connaissances.

Je me pose de nouvelles questions.

? • Que sais-tu de la naissance et de la croissance des mammifères ?

••• • Pour en apprendre davantage sur les étapes du développement des mammifères, lis le texte *La roue de la vie*. Remplis ensuite un tableau semblable à celui qui suit. 2.3.1 ▷

Étape	Ce qui se passe	Ce qui m'étonne
a) Accouplement		
b) Fécondation		
c) Gestation		
d) Naissance		
e) Croissance		
f) Vie adulte		

Les animaux naissent, grandissent et donnent naissance à des petits qui, à leur tour, grandiront et se reproduiront... C'est la roue de la vie, qui tourne sans fin. Les mammifères sont soumis à ce cycle, comme les autres animaux, mais ils ont une façon bien à eux de se reproduire. Ils se développent par étapes, à partir d'un tout petit ovule, jusqu'à l'âge adulte.

Photo : Jardin zoologique de Granby

L'ovule

C'est dans le corps de la femelle que commence la vie d'un mammifère. Pendant l'**accouplement**, le mâle dépose son sperme à l'intérieur du corps de la femelle. Les millions de spermatozoïdes qu'il contient se dirigent vers l'ovule. La **fécondation** a lieu au moment où un spermatozoïde rencontre l'ovule.

37

L'**ovule fécondé** se fixe dans la paroi de l'utérus. Une portion de cet ovule se transforme en une masse spongieuse appelée *placenta*.

M placenta ?

Les échanges entre la mère et le petit se font par le cordon ombilical, qui est relié au placenta. C'est par ce tube que circulent l'oxygène, les substances nutritives et les déchets.

P ce tube ?

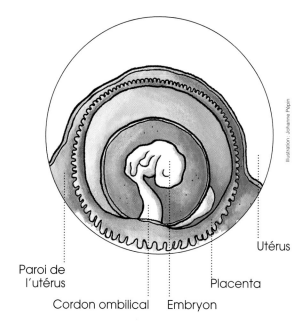

Illustration : Johanne Pépin

Paroi de l'utérus

Cordon ombilical

Embryon

Placenta

Utérus

L'embryon

Bien protégé, l'**ovule fécondé** poursuit son développement. Il deviendra un embryon, puis un fœtus, dès que l'on pourra reconnaître l'espèce à laquelle il appartient.

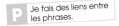

P Je fais des liens entre les phrases.

La durée du développement, ou **gestation**, varie selon les espèces. Chez les mammifères qui grandissent entièrement dans l'utérus de la femelle, c'est le hamster qui détient le record de la plus courte gestation : 16 jours ! La gerbille le suit de près, avec environ 23 jours. À l'opposé, l'éléphanteau met 18 à 22 mois à se développer.

Quelques mammifères				
Être humain et animaux	Durée moyenne de vie (années)	Durée moyenne de la gestation (jours)	Nombre de portées par an	Nombre de petits par portée
Être humain	77	266	1	1 ou 2
Chat	18	62	1 ou 2	1 à 8
Chien	17	63	1 ou 2	2 à 12
Écureuil gris	15	44	1 ou 2	3 à 5
Gerbille	4	23	4 ou 5	3 à 7
Hamster	1 ½	16	2 ou 3	5 à 10
Lapin	6	30	4 ou 5	4 à 7
Mouffette rayée	7	68	1	2 à 10
Mouton	19	148	2	1 ou 2
Porc	14	114	2	5 à 12
Souris	2	21	4 ou 5	10 à 12
Vache	22	283	1	1 ou 2

Le nouveau-né

Lorsque le développement du fœtus est terminé, c'est le moment de la **naissance**. Les muscles de l'utérus se mettent alors au travail. Des contractions rythmées et puissantes permettent d'expulser le petit du corps de la femelle. Le vagin s'étire pour laisser passer la tête, puis le corps tout entier.

Dès la **naissance**, la mère s'occupe de ses petits. Elle coupe leur cordon ombilical s'il n'est pas déjà rompu. Elle lèche ensuite ses petits pour enlever les mucosités, ou substances épaisses, qui les recouvrent. Puis elle les allaite. Le lait est la première nourriture de tous les petits mammifères. Ce liquide, produit par les mamelles de la mère, fournit tous les éléments nécessaires à leur **croissance**.

M rompu ?

M mucosités ?   P les ?

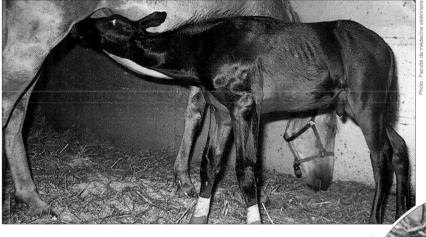

Chez certaines espèces, comme le bison et la girafe, les petits deviennent vite autonomes. Après une trentaine de minutes seulement, ils peuvent se dresser sur leurs pattes et faire quelques pas. C'est une question de survie, puisqu'ils devront peut-être bientôt fuir leurs ennemis.

Chez d'autres mammifères, les petits sont moins développés à la naissance et ils ont besoin d'une plus longue période de soins. C'est le cas de la gerbille. Bien à l'abri dans son terrier, la femelle met au monde trois à sept petits, nus et aveugles. Ce n'est qu'après deux semaines qu'ils ouvriront les yeux. Ils ont besoin du lait de leur mère durant quatre semaines. Après, on dit qu'ils sont sevrés. Ils quittent alors le nid pour se nourrir seuls.

M sevrés ?

Du petit à l'adulte

Le temps nécessaire pour devenir **adulte** varie selon les espèces d'animaux. Cela dépend de leurs besoins et des apprentissages qu'ils doivent faire pour survivre. Par exemple, les gerbilles deviennent indépendantes à l'âge de deux ou trois mois et sont alors prêtes à se reproduire. Par contre, il faut plusieurs années aux jeunes humains pour devenir autonomes.

Une fois adultes, les jeunes animaux doivent à leur tour chercher un ou une partenaire pour s'accoupler. L'ovule fécondé se transformera en embryon, puis en fœtus et enfin, en nouveau-né. Le petit grandira et deviendra un adulte. C'est ça, la roue de la vie !

Photo : Jardin zoologique du Québec / Robert Morin

Sélectionne et réagis...

1. En équipes, discutez des informations qui vous ont le plus étonnés dans ce texte.

2. Qu'avez-vous appris sur le développement des mammifères, à partir de la fécondation jusqu'à la vie adulte ?

3. Que signifie la conclusion de Louise Sylvestre : « C'est ça, la roue de la vie ! » ?

Explique...

4. Trouve le sens des mots *placenta*, *gestation* et *mucosités* dans le texte. Comment l'auteure amène-t-elle la définition de chacun de ces mots ?

5. Comment as-tu fait pour comprendre la phrase « C'est par ce tube que circulent l'oxygène, les substances nutritives et les déchets. » (4e paragr.) ?

6. Pourquoi l'auteure a-t-elle choisi les mots *à l'opposé* pour faire le lien entre la gestation du hamster et de la gerbille et celle de l'éléphanteau ? (6e paragr.) ?

- Chez les êtres humains, que faut-il, au départ, pour qu'il y ait reproduction ?

- Compare les étapes de ta vie avec chacune des étapes du développement des mammifères décrites dans le texte. En quoi sont-elles semblables ? différentes ?

- En quoi les petits des animaux mammifères ressemblent-ils aux petits des humains à la naissance ?

- Est-ce que les êtres humains sont des mammifères ? Pourquoi ?

- Qu'est-ce que tu as appris sur la reproduction des mammifères ?

- Comment l'as-tu appris ?

Au sujet de...

Il arrive que le sujet soit placé après le verbe. Quelle complication !

Entre le sujet et le verbe, il y a parfois un écran. C'est embêtant !

GRAT! GRAT!

Moi, le sujet *qui* m'effraie...

Le groupe sujet

Le groupe sujet peut être :

- un nom propre,
   Kotick *part à la recherche d'une île.*
- un groupe du nom simple ou étendu, ou plusieurs groupes du nom,
   Les animaux *naissent, grandissent et se reproduisent.*
   Les muscles de l'utérus *se mettent alors au travail.*
   Le bison et la girafe *deviennent rapidement autonomes.*
- un pronom.
   Elle *les allaite.*
   C'est le hamster **qui** *détient le record de la plus courte gestation : 16 jours !*

Illustration: Bruno St-Aubin

À l'essai !

1. Trouve les groupes sujets qui accompagnent les verbes en caractères gras dans le texte qui suit. Pour trouver le groupe sujet, essaie de le remplacer par un pronom. Note les mots écrans s'il y a lieu. Écris tes réponses dans un tableau.

Groupe sujet	Écran	Verbe

Le maître-plongeur

Le phoque **est** un bon nageur. Il **avance** dans l'eau avec grâce. Ses puissantes nageoires postérieures lui **permettent** de se propulser vers l'avant. Sur terre, ses petites nageoires ne lui **facilitent** cependant pas la tâche. Les muscles de son corps **doivent** donc se mobiliser pour lui permettre de ramper. Heureusement, cet animal ne **vient** sur la terre ferme que pour prendre des bains de soleil, faire la sieste et élever ses petits.

Photo: Corel

Les phoques **mangent** surtout des poissons. Une abondante nourriture leur **permet** d'accumuler une bonne couche de graisse. Cette couche **constitue** un précieux atout. Elle **aide** l'animal à flotter et à rester au chaud dans les eaux glaciales. Brrr !

2. Classe les groupes sujets de l'exercice précédent dans un tableau.

Groupe du nom simple	Groupe du nom étendu	Pronom

3. Fais une seule phrase avec chaque couple de phrases.
   Élimine les répétitions en utilisant le pronom *qui*.

Exemple :

Elle enlève les mucosités. Ces mucosités recouvrent les petits. →
Elle enlève les mucosités qui recouvrent les petits.

a) Chaque année, les coyotes ont une portée. Chaque portée compte de cinq à sept petits.

b) Les premiers mois, les petits sont allaités par leur mère. Leur mère les sèvre ensuite progressivement.

c) Les jeunes coyotes accompagnent leurs parents. Leurs parents leur apprendront à chasser.

d) Les coyotes font entendre des hurlements. Ces hurlements ont pour but d'appeler ou d'avertir leurs semblables.

e) Les coyotes sont peu appréciés des propriétaires de fermes d'élevage. Les propriétaires craignent pour la vie de leurs animaux.

À *ton tour !*

1. Trouve le sujet des verbes en caractères gras dans les phrases suivantes et classe-les dans un tableau. Indique ce que chaque pronom *qui* remplace.

Groupe du nom	Pronom *qui*

a) La mère **allaite** ses petits.

b) Les bébés humains **marchent** vers l'âge de un an.

c) Tonnerre **observe** attentivement la naissance d'un poulain.

d) Demain, Biscotte **rencontrera** une jolie petite chienne.

e) Le coyote **jappe** comme le chien et **hurle** comme le loup.

f) Les éléphants mâles **vivent** souvent seuls.

g) Le dromadaire, qui **vit** dans le désert, **transporte** de lourdes charges.

h) C'est la tigresse qui s'**occupe** des petits.

i) Les scientifiques **font** de nouvelles découvertes tous les jours.

j) Ma mère **a acheté** un chien qui ne s'**entend** pas avec mon chat.

2. Écris les phrases suivantes en accordant les verbes.
   Trace ensuite un lasso à deux bonds lorsque le sujet du verbe est le pronom *qui*.

   Exemple : Le gros chat noir qui dort au soleil appartient à Françoise.

   a) La girafe est un animal qui (ruminer) comme la vache.

   b) J'aime les animaux qui (rester) petits.

   c) As-tu vu l'éléphant qui (étirer) sa trompe pour prendre du foin ?

   d) Regarde dans le livre qui (traîner) sur la table.

   e) La baleine est un mammifère qui (vivre) dans l'eau.

3. Complète les phrases suivantes en inventant un groupe sujet
   conforme aux indications données entre crochets.

   Exemple : (groupe sujet formé d'un déterminant, d'un adjectif et d'un nom)

   　　　　　dét.　adj.　　nom
   Les petits oiseaux *crient très fort.*

   a) (groupe sujet formé d'un nom propre) ✎ est le nom de mon chien.

   b) (groupe sujet formé d'un pronom) J'aimerais que ✎ apportes ton hamster à l'école :
   nous pourrions alors l'observer.

   c) (groupe sujet formé d'un déterminant et d'un nom) ✎ doit apprendre la chasse à ses petits.

   d) (groupe sujet formé d'un déterminant, d'un adjectif et d'un nom) ✎ mangent des graines.

   e) (groupe sujet formé d'un pronom) ✎ sont de bonnes mères.

   f) (groupe sujet formé d'un déterminant, d'un adjectif et d'un nom) ✎ a de
   fines moustaches.

   g) (groupe sujet formé de deux noms propres) Lors d'une présentation
   orale, ✎ communiquent plusieurs informations sur
   la chauve-souris.

4. Compose cinq phrases en associant un groupe sujet
   à un groupe verbe.

   Groupe sujet
   Le chien et le renard
   Charlotte et Maxime
   Vous
   Ma chatte
   Julien

   Groupe verbe
   jappent et aboient.
   connaissent bien les mammifères.
   soignerez vos petites bêtes.
   sont des mammifères.
   possèdent des animaux.
   irez à l'animalerie.
   se repose.
   peigne ses cheveux.

5. Complète les phrases qui suivent. Attention ! accorde le verbe correctement
   et relie-le à son sujet par un lasso à deux bonds.

   a) Ma mère a acheté le **chien** qui  .

   b) Tu devrais voir les **livres** neufs qui  .

   c) Nettoie la **vaisselle** qui  .

   d) Julie et Charlotte sont des **filles** qui  .

   e) As-tu pensé aux **animaux** qui  ?

6. Rédige quatre devinettes à partir de l'illustration. Demande ensuite
   à un ami ou à une amie de trouver les personnages auxquels tu penses.

   Exemple : Je pense à deux personnages qui portent un chapeau et une hache.

   ## À qui penses-tu ?

Je lis le titre et j'imagine.

Max l'incompris

Sonia Sarfati

- Découvre qui est Max et comment il devient un héros.

— *1* —

Max était le dernier arrivé de la famille Corbeil. Dans la famille, il y avait papa, maman et les deux grands, Amélie et Stéphane. Et il y avait Sarah, la préférée de Max. Préférée parce qu'ils avaient beaucoup en commun. Ils n'avaient pas une grande différence d'âge, ils marchaient tous les deux à quatre pattes et ils avaient beaucoup de difficulté à se faire comprendre.

La vie de Max était agréable. Tout le monde l'aimait beaucoup et, même si papa, maman, Stéphane et Amélie ne le comprenaient pas, Sarah, elle, communiquait avec lui à sa manière. Et puis, ce fut le drame.

— *2* —

Tout commença le jour où Sarah réussit à se tenir debout. Quand il la vit ainsi, Max n'en crut pas ses yeux. Max ne fut pas le seul à être surpris par l'événement : maman en pleurait presque de joie. Ce soir-là, personne ne fit attention à Max. Pas même Sarah qui, fièrement, faisait des pieds et des mains – c'était le cas de le dire ! – pour se maintenir debout contre un mur ou un meuble. Heureusement, les autres finirent par s'habituer aux exploits de la fillette et tout redevint à peu près comme avant.

Sarah faisait des progrès de jour en jour. Elle pouvait même courir, à présent. Enfin, presque. C'était ce que disait maman. Mais Max savait qu'elle exagérait. Car s'ils avaient fait une course, Sarah et lui, elle debout et lui à quatre pattes, il aurait probablement gagné. Mais personne ne semblait trouver ça important, ni digne de mention. Sarah, par contre, faisait l'objet de toutes les conversations...

M digne de mention ?

Illustration : Hélène Desputeaux

Le temps passa. L'humeur de Max balançait entre la tristesse et la dépression. Mais il était écrit qu'il n'en serait pas toujours ainsi. En effet, le destin de Max allait changer du tout au tout par une belle soirée du mois de juillet.

M du tout au tout ?

— 3 —

Cette journée-là, il avait fait très chaud. Tout le monde avait bien nagé, plongé, éclaboussé, bronzé et s'était bien amusé. Tout le monde à part Sarah et Max qui, eux, n'avaient pas le droit de s'approcher de la piscine sans surveillance. Dès qu'ils faisaient un pas en direction de la très tentante étendue d'eau fraîche, quelqu'un était là pour s'écrier : « Attention, Max – ou Sarah – va tomber dans la piscine ! »

P Je reformule.

Le soir venu, toute la famille mangea sur le patio. Puis, comme les moustiques semblaient vouloir se joindre à la discussion qui suivait le repas, on décida de rentrer. Et là, quelqu'un oublia de fermer la moustiquaire. Ce fut le drame. Profitant d'un moment d'inattention, Sarah sortit sur le patio et marcha... vers la piscine.

M témoin de la scène ?

Le seul témoin de la scène fut Max. À quatre pattes, il suivit Sarah et la vit. Il la vit s'approcher de l'eau. Se pencher pour la toucher. Et tomber. Un tout petit plouf. Si petit que personne, à l'intérieur, ne l'entendit.

— 4 —

Un gémissement s'échappa de la gorge de Max. Puis, sentant que lui-même ne pouvait rien faire, il courut, toujours à quatre pattes, à l'intérieur. Et là, il s'approcha de maman en hurlant.

« Enfin, Max, que se passe-t-il ? cria-t-elle comme il tirait sur sa jupe. Arrête ça tout de suite ! »

Mais Max n'arrêtait pas. Il continuait à hurler, et à hurler de plus belle. Et, en même temps, il se dirigeait vers la piscine. C'est alors que...

« Sarah ! cria papa. Où est Sarah ? »

On ne peut savoir qui atteignit la piscine le premier et qui repêcha Sarah. Mais celle-ci fut heureusement sauvée. Ce soir-là, Max nagea... pas dans la piscine, mais dans le bonheur. Dans la famille, son nom était sur toutes les lèvres et il passait de bras en bras, de genoux en genoux. Et le lendemain fut un grand jour dans sa vie.

« Max ! s'écria Stéphane en s'approchant de lui. Viens voir, Max ! On parle de toi dans le journal. Écoute. Le titre, c'est : Sarah, une fillette de deux ans, sauvée de la noyade par Max, son chien. »

Extraits de *Sauvetages*, Boucherville, Éditions Québec/Amérique Jeunesse, 1989.
(Collection Gulliver)

Raconte l'essentiel du récit

1. Quelle surprise Sonia Sarfati réserve-t-elle à ses lecteurs à la fin du récit ?

2. Qu'as-tu pensé qu'il allait arriver lorsque tu as lu la phrase : «En effet, le destin de Max allait changer du tout au tout par une belle soirée du mois de juillet. » ?

3. Relis l'histoire et note les événements qui expliquent certains sentiments ou réactions de Max : joie, surprise, jalousie, tristesse, inquiétude, ténacité, fierté.

Donne ton point de vue

4. Crois-tu qu'un chien puisse éprouver les sentiments que Sonia Sarfati prête à Max ? Justifie ton point de vue.

5. Aimes-tu les récits qui contiennent des rebondissements imprévisibles ou une fin inattendue ? Pourquoi ?

Explique...

6. Quel est le sens des expressions *digne de mention* ? *du tout au tout* ? *témoin de la scène* ? *nagea... dans le bonheur* ? *son nom était sur toutes les lèvres* ?

7. Quel jeu de mots fait l'auteure quand elle écrit que Sarah faisait des pieds et des mains pour se maintenir debout ?

8. Formule autrement la phrase «Puis, comme les moustiques semblaient vouloir se joindre à la discussion qui suivit le repas, on décida de rentrer. ».

 • En équipes, présentez des situations qui mettent en jeu certains besoins d'enfants de votre âge. Invitez les spectateurs à trouver ces besoins.

J'écoute attentivement.

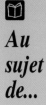

 Un groupe qui ne contient qu'un élément, c'est assez bizarre !

De quoi parles-tu ?

Le groupe verbe

1. Le groupe verbe peut être :

   - un verbe seul,
     *Toute la famille **mange**.*

   - un verbe suivi d'un ou de plusieurs compléments obligatoires,
     *Stéphane **montre le journal à Max**.*

   - un verbe suivi d'un attribut.
     *La vie de Max **était agréable**.*

2. Dans la phrase simple, on trouve habituellement au moins un groupe sujet et un groupe verbe. Il peut y avoir aussi un complément de phrase.

On	**parle de toi**	**dans le journal.**	➜ *Dans le journal, on parle de toi.*
groupe sujet	groupe verbe	complément de phrase	
	verbe + complément obligatoire		

À l'essai !

1. Dans chacune des phrases suivantes, trouve le groupe sujet et le groupe verbe.

Des animaux vedettes

a) Plusieurs émissions de télévision présentent des animaux vedettes.

b) Je connais le chien Lassie et le kangourou Skippy.

c) Dans les années 1970, ces animaux étaient célèbres.

d) Plusieurs fois, ces fidèles compagnons ont sauvé leur maître ou leur maîtresse.

e) Ces deux animaux semblaient infatigables.

f) De nos jours, les écrans de cinéma regorgent de stars animales.

g) Maintenant, les acteurs et les actrices quadrupèdes parlent.

h) Ils interprètent des personnages presque humains.

2. Classe les groupes verbes de l'exercice précédent dans un tableau.

Verbe seul	Verbe suivi d'un complément obligatoire	Verbe suivi d'un attribut

À *ton tour !*

1. Complète les phrases qui suivent.
   Ajoute la majuscule et le point si nécessaire.

L'animalerie Bozoo

a) Les propriétaires de l'animalerie vendent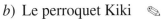

b) Le perroquet Kiki 🖊

c) 🖊 attire l'attention des clients.

d) Malgré tous les bruits qu'il y a autour de lui,
le serpent Sassi est 🖊

e) La nourriture de tous les animaux se trouve 🖊

f) 🖊 nourrit les animaux matin et soir.

2. Complète les phrases suivantes en ajoutant un ou des compléments
   qui répondent aux questions mentionnées.

a) Le chien policier cherche (qui ?) (où ?)

b) Le chien-guide conduit (qui ?) (où ?)

c) Le singe du clown fait (quoi ?) (quand ?)

d) Sarah joue (avec qui ?) (quand ?)

e) Le chien du berger ramène (quoi ?) (où ?) (quand ?)

3. Complète les phrases en leur ajoutant un adjectif attribut.
   N'oublie pas de l'accorder avec le sujet du verbe !

a) La chatte de la famille est 🖊 .

b) Au moment de la course, ces chevaux étaient 🖊 .

c) À leur retour, les chasseurs étaient 🖊 .

d) Les propriétaires de Max sont 🖊 .

e) Dans leur aquarium, les poissons rouges sont 🖊 .

4. Repère les verbes dans les phrases qui suivent. Écris-les dans la première colonne d'un tableau et indique si ces verbes ont un complément ou non.

Verbe	Avec complément	Sans complément

a) Florence partage sa collation avec Ulysse, son chien.

b) L'enfant voudrait un autre cornet de crème glacée pour son copain.

c) Florence et Ulysse font une course jusqu'à la maison.

d) La mère de Florence refuse.

e) Ulysse jappe.

f) Il mangera son repas plus tard.

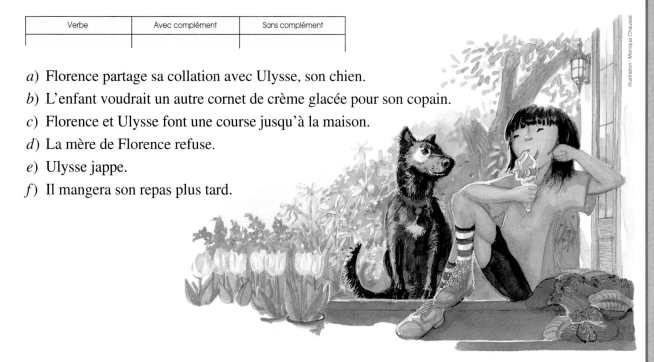

Délire de lire

Des mammifères et des livres

Combien de livres de votre bibliothèque traitent du chien ? du chat ? de la baleine ? du kangourou ? du singe ? du cochon ? de tous les mammifères ?

Faites le décompte des ouvrages de votre bibliothèque qui portent sur des mammifères. Servez-vous des résultats de votre recherche pour recommander l'achat d'ouvrages à votre bibliothèque.

Y a-t-il un lien entre la grosseur d'un mammifère et la quantité d'ouvrages qui le concernent ?

Inuits et Amérindiens

Marie Dufour

? • À ton avis, quels ont été les premiers habitants du Québec? Comment le sais-tu?

• Comment vivaient ces gens ? Que sais-tu sur leurs habitations, leurs activités et leur alimentation ?

••• • Pour connaître les territoires des premiers habitants du Québec, observe la carte qui suit. Que signifie chaque couleur sur cette carte ?

• Que peux-tu dire sur l'étendue du territoire des Inuits par rapport à celui des Algonquiens et des Iroquoiens ? sur la situation du territoire des Inuits dans le Québec ?

• Lis le texte pour connaître la façon de vivre des premiers habitants de l'Amérique avant l'arrivée des découvreurs.

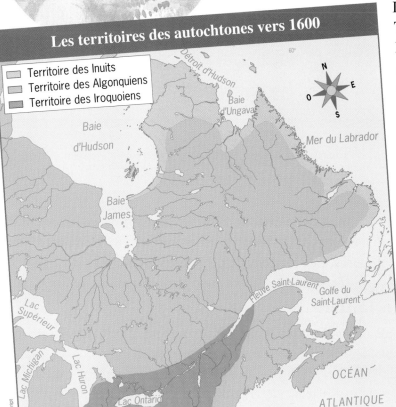

Les territoires des autochtones vers 1600

Territoire des Inuits
Territoire des Algonquiens
Territoire des Iroquoiens

Détroit d'Hudson
60°
N O E S
Baie d'Ungava
Baie d'Hudson
Mer du Labrador
Baie James
Fleuve Saint-Laurent
Golfe du Saint-Laurent
Lac Supérieur
Lac Michigan
Lac Huron
Lac Ontario
Lac Érié
OCÉAN ATLANTIQUE

Carte : Interscript

Imagine que tu recules dans le temps... Te voilà sur le territoire du Québec avant l'arrivée des premiers découvreurs en Amérique. Crois-tu voir uniquement des forêts remplies d'animaux sauvages ? Eh bien, non ! Deux peuples vivent sur ces terres : les Inuits et les Amérindiens. Ces peuples sont les peuples autochtones, c'est-à-dire les premiers habitants du continent.

Illustrations : François Girard

51

Une visite chez les Inuits

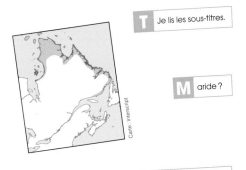

T Je lis les sous-titres.

M aride ?

P Je fais des liens.

Le territoire

Les Inuits vivent au bord de la baie d'Hudson, sur les côtes de la mer du Labrador et sur la rive nord du fleuve Saint-Laurent, jusqu'à Mingan. La plus grande partie de ce territoire est très aride. Il y fait froid, et le sol est gelé en profondeur toute l'année. Seuls des arbres nains, des plantes herbacées, des mousses et des lichens composent le décor.

Le mode de vie

Les Inuits sont des nomades, c'est-à-dire qu'ils se déplacent d'un endroit à l'autre pour trouver leur nourriture. Ils ont donc créé plusieurs moyens de transport, comme le kayak et le traîneau à chiens.

L'abri

L'été, les Inuits vivent sous la tente. L'hiver, ils construisent des igloos en découpant des blocs de neige durcie et en les empilant les uns sur les autres. Ces maisons de neige peuvent abriter cinq à sept personnes. À l'intérieur des igloos, une plate-forme sert de lit.

La nourriture

Le menu des Inuits varie selon les saisons. En hiver, ils mangent habituellement de la viande crue et du poisson. Durant la belle saison, ils ajoutent à ces aliments des baies sauvages, des algues, des moules et des œufs d'oiseaux aquatiques. Chez les Inuits, les repas n'ont pas lieu à heure fixe : on mange quand la faim se fait sentir.

Une visite chez les Amérindiens

Le train-train des Algonquiens

M train-train ?

Le territoire

Le territoire des Algonquiens est immense. Il correspond presque à la totalité du Québec d'aujourd'hui. Le sol y est peu fertile, mais les Algonquiens profitent des ressources de la riche forêt. Ils chassent plusieurs sortes d'animaux et cueillent des petits fruits. De plus, les lacs et les rivières regorgent de poissons.

M regorgent ?

Le mode de vie

Comme les Inuits, les Algonquiens sont des nomades. De saison en saison, ils se déplacent en quête de nourriture. Au printemps et en été, ils campent près d'un lac. Il n'est donc pas étonnant qu'ils aient inventé le canot en écorce de bouleau ! L'automne venu, ils repartent en forêt pour chasser des mammifères tels le caribou et l'orignal.

L'abri

Facilement démontable, le wigwam est l'habitation des Algonquiens. Il est fait d'une structure de bois en forme de cône que l'on recouvre de rouleaux d'écorce de bouleau ou de peaux d'animaux. Quand ils changent de lieu, les Algonquiens ne transportent que les rouleaux d'écorce ou de peaux, car ils peuvent trouver du bois partout.

M wigwam ?

La nourriture

L'alimentation des Algonquiens est très variée. Orignal, chevreuil, caribou, ours, castor, porc-épic, lièvre, perdrix, canard, anguille, truite et saumon peuvent figurer à leur menu. Leur alimentation dépend des saisons, des ressources du milieu et de l'habileté des chasseurs et des pêcheurs. Les Algonquiens mangent aussi des plantes et des petits fruits. La plupart des viandes qu'ils consomment sont bouillies, les autres sont séchées et fumées.

Les Iroquoiens au quotidien

Le territoire

Les Iroquoiens vivent autour du lac Ontario. Le sol y est fertile et la forêt, riche. C'est l'endroit idéal pour s'établir en permanence. On peut en effet y cultiver la terre, en plus de profiter des forêts et des étendues d'eau.

Carte Interscript

Le mode de vie

Au contraire des Inuits et des Algonquiens, les Iroquoiens sont des sédentaires, c'est-à-dire qu'ils ont un domicile fixe. Leur territoire comporte plusieurs villages où vivent de nombreuses familles.

L'abri

Entourées d'une haute palissade, les « maisons longues » des Iroquoiens sont des constructions durables. Elles sont suffisamment grandes pour loger une dizaine de familles. La charpente de ces maisons est faite de troncs d'arbres. Les murs et le toit sont recouverts d'écorce de cèdre ou d'orme.

La nourriture

En plus des produits de la chasse et de la pêche, les Iroquoiens consomment les produits de leurs récoltes. Ils ajoutent ainsi du maïs, des haricots et des courges à leur menu. Leurs aliments sont cuits dans des vases suspendus au-dessus du feu. En tout temps, ils peuvent calmer leur faim en puisant la nourriture qui mijote dans le vase.

> **P** J'ajoute les mots qui manquent.
>
> **M** en permanence ?

> **M** palissade ?

L'adaptation au milieu

L'Amérique était habitée bien avant l'arrivée des découvreurs. Les deux peuples qui y vivaient tiraient profit des ressources de leur environnement. De nos jours, le décor et les habitudes de vie ne sont plus les mêmes, mais, du nord au sud et de l'est à l'ouest, on continue à s'adapter aux conditions du milieu...

Illustrations : François Girard

Sélectionne...

 1. Parmi les premiers habitants du Québec, choisis l'un des trois groupes concernés et décris sa façon de vivre. 3.1.1 ▷

2. Quels mots peut-on associer aux termes *nomade* et *sédentaire* ? En équipes, faites deux cartes d'exploration portant sur ces sujets.

3. Selon le texte et les illustrations, qu'est-ce qui nous vient des Inuits et des Amérindiens ?

4. Quelles sont les ressemblances entre les Inuits et les Amérindiens si l'on considère leur territoire ? leur façon d'exploiter la nature ? leurs moyens de transport ?

5. Quelles sont les différences entre leurs modes de vie ? leurs abris ? leur nourriture ?

Explique...

6. Comment as-tu fait pour comprendre le sens des mots *aride* ? *train-train* ? *regorgent* ? *wigwam* ? *en permanence* ? *palissade* ?

7. Quelles stratégies te permettent de comprendre le sens de la phrase « Le sol y est fertile et la forêt, riche. » ?

8. Trouve une énumération de noms d'animaux et une de noms d'aliments. Compare-les.

9. Dans le troisième paragraphe du texte, à quoi servent les mots de relation *c'est-à-dire*, *donc* et *comme* ?

Des noms inuits et amérindiens

- Pour savoir à quelles régions administratives d'aujourd'hui correspondait autrefois le territoire des Inuits, des Algonquiens et des Iroquoiens, compare la carte de la page 51 avec celle des régions administratives actuelles du Québec.

- Trouve les noms de ta région qui sont d'origine inuite, algonquienne ou iroquoienne. S'agit-il de noms de villes? de villages? de lacs? de rivières? de rues? etc. Utilise une carte de ta région, puis note tes réponses.

▲
Wendake.

Les premiers habitants du continent ont laissé des traces de leur passage sur les cartes géographiques. Le Québec fourmille de noms qui ont une origine inuite ou amérindienne.

DANS TA RÉGION?

Noms d'origine inuite ou amérindienne			
Inuit	**Amérindien**		**Iroquoien**
	Algonquien		Akwesasne
		Memphrémagog	Kahnawake
Inukjuak	Arthabaska	Baie Missisquoi	Kanesatake
Kuujjuaq	Caniapiscau	Rivière Mitis	
Puvirnituq	Chibougamau	Natashquan	
Quaqtaq	Chicoutimi	Odanak	
Salluit	Coaticook	Outaouais	
	Donnacona	Rivière Pikauba	
	Rue Hochelaga	Québec	
	Rivière Kipawa	Saguenay	
	Macamic	Saint-Côme-de-Kennebec	
	Manawan	Shigawake	
	Manicouagan	Lac Témiscouata	
	Rue Manitou	Wendake	
	Rivière Matawin		

◄ *Manawan.*

Kuujjuaq.
▼

- Qu'as-tu appris sur les premiers habitants de ta région? sur leur façon de vivre? sur leurs abris? sur leur nourriture?

Au sujet de...

Je suppose qu'il faut d'abord le trouver...

Comment faire pour accorder un participe passé employé avec être ?

Oui, mais encore ?

Le participe passé employé avec *être*

1. Le participe passé d'un verbe conjugué avec *être* s'accorde avec le sujet du verbe.

> ***Elles sont allées.***
> être + participe passé du verbe *aller*

> ***Ils sont venus.***
> être + participe passé du verbe *venir*

> ***Les Amérindiens*** *sont divisés en deux groupes.*
> être + participe passé du verbe *diviser*

2. Voici des verbes qui se conjuguent toujours avec l'auxiliaire *être* :

aller, arriver, partir, naître, mourir, rester, tomber, venir, revenir, devenir, parvenir, intervenir, survenir

Illustration : Bruno St-Aubin

À l'essai !

1. Explique l'accord des participes passés *arrivés* et *arrivée* dans les phrases qui suivent.

   a) Les Inuits sont **arrivés** en Amérique bien avant les premiers découvreurs.

   b) Une femme est **arrivée** à son igloo en traîneau à chiens.

2. Repère tous les participes passés employés avec *être* dans le texte suivant et note-les. Pour les trouver, cherche le verbe *être*.

Au magasin général

Drelin, drelin ! La clochette de la porte retentit. Deux clientes sont entrées dans le magasin général du village. Elles se racontent les derniers événements.

Le magasin général a vu le jour au cours du 19ᵉ siècle, avec le développement du réseau de chemin de fer et des routes. On y trouve de tout : aliments, tissus, outils, journaux, etc. Certaines denrées sont importées. C'est le cas du thé, de la mélasse et du poivre. Plusieurs produits sont manufacturés. Les marchandises sont disposées sur de grandes étagères et les prix sont indiqués sur un tableau noir. Plus qu'un simple commerce, le magasin général est un important lieu de rassemblement !

Illustration : Leanne Franson

3. Écris le mot avec lequel s'accorde chaque participe passé de l'exercice précédent.

4. Écris à l'infinitif les participes passés de l'exercice 2.

5. Transforme oralement les phrases suivantes de façon à éliminer les participes passés employés avec *être*. Utilise le pronom *on*.

Exemple : Les mets sont cuits dans des vases. ➔ *On cuit les mets dans des vases.*

a) Les murs et le toit sont recouverts d'écorce de cèdre ou d'orme.

b) Les repas sont préparés à différentes heures.

À ton tour !

1. Dans le texte *Poupées d'autrefois,* accorde les participes passés.

Poupées d'autrefois

Aujourd'hui, on fabrique des poupées qui parlent, qui marchent et qui dansent. Mais il n'en a pas toujours été ainsi. Au 19e siècle, les poupées ^{1}(offert) aux enfants étaient de fabrication artisanale. Les poupées de chiffon étaient ^{2}(cousu) à la main par la mère ou par la fille aînée de la famille. Ces poupées étaient ensuite ^{3}(bourré) de paille. Parfois, le père sculptait une tête, des mains et des pieds dans du bois. Les membres étaient ensuite ^{4}(fixé) au corps de chiffon. Certaines poupées ^{5}(vendu) au magasin général avaient même une tête en porcelaine.

Comme celles d'aujourd'hui, les poupées d'autrefois étaient ^{6}(accompagné) de mille et un accessoires : vêtements, ameublement et vaisselle miniatures. Peu à peu, des poupées plus raffinées sont ^{7}(né), et les poupées artisanales ont presque disparu. Les poupées anciennes sont donc ^{8}(devenu) des objets de collection qui se vendent très cher.

Illustration : Hélène Desputeaux

2. Trouve l'infinitif des participes passés de l'exercice précédent.

3. Dans le texte de l'exercice 1, trouve une phrase dans laquelle le verbe *être* est employé seul et transcris-la.

4. Transforme oralement les phrases suivantes de façon à éliminer les participes passés employés avec *être*. Utilise le pronom *on*.

a) Des igloos sont construits durant l'hiver.

b) Chez les Inuits, la viande est mangée crue.

c) Les maisons longues sont entourées d'une haute palissade.

Illustration : François Girard

Cécile arrive en ville

Marie Dufour

> • Découvre les sentiments et les réactions de Cécile lorsqu'elle arrive en ville, au début du siècle.

Montréal au début du siècle

Entre 1901 et 1931, la population de Montréal a augmenté d'environ 600 000 habitants. La plupart d'entre eux étaient originaires des campagnes du Québec ; d'autres venaient d'Angleterre, d'Europe de l'Est et du sud de l'Europe. L'arrivée massive de cette nouvelle main-d'œuvre s'est faite au cours d'une période de forte expansion industrielle. Plusieurs industries, dont celle de la chaussure, ont agrandi leurs installations pour répondre à une demande croissante. De nouvelles usines se sont établies en banlieue. Les tramways électriques, mis en service en 1892, transportaient des milliers de travailleurs vers leur lieu de travail. C'est cette époque qui est décrite dans le texte *Cécile arrive en ville*.

—— *1* ——

J'invente des images et des bruits.

Le ciel est encore mauve, mais le soleil ne va pas tarder à se lever. Cécile a les mains moites. Son cœur bat fort. C'est la première fois qu'elle prend le train. Pour l'occasion, trois de ses frères l'accompagnent à la gare. Quel grand événement ! Cécile, l'aînée de la famille, quitte le bas du fleuve pour aller vivre en ville. Ses autres frères et sœurs sont restés à la ferme. Il y a tant à faire là-bas... Cécile s'en va à Montréal chez sa tante Lili, qui lui a trouvé du travail dans une manufacture de chaussures. Elle gagnera donc de l'argent pour aider sa famille.

Illustration : Leanne Franson

Pendant tout le voyage, Cécile voit défiler des paysages qu'elle connaît bien : des champs verdoyants, des terres labourées. Mais, en sortant du wagon, quel dépaysement ! Elle voit enfin la ville dont on lui a tant parlé. De hautes maisons semblent entassées les unes sur les autres ; la plupart sont situées autour des églises. D'immenses cheminées d'usine obstruent l'horizon. Heureusement, tante Lili est là, sur le quai de la gare. « Viens, ma grande, on va prendre les p'tits chars ! » lui lance-t-elle.

M dépaysement ?

M obstruent ?

Cécile paraît bien troublée. Elle a l'impression de se retrouver sur une autre planète. Rien ne ressemble à son décor habituel. Et puis, elle n'est jamais montée dans un tramway. Un peu inquiète, elle observe sa tante, qui dépose dix cents dans une boîte. Toutes deux s'assoient près du chauffeur. Quand celui-ci crie « rue Sainte-Catherine ! » elles descendent de ce drôle de véhicule. Tante Lili dit alors à sa jeune protégée qu'elle habite à trois coins de rue de là. Pour Cécile, habituée aux chemins étroits et sinueux de la campagne, trois coins de rue, ça ne veut pas dire grand-chose !

─── 3 ───

Tout en marchant jusqu'à la maison de sa tante, la jeune campagnarde est étonnée par les manières des gens de la ville. Dans la rue, personne ne se salue, personne ne s'adresse la parole... comme si les gens étaient des étrangers. Dans son village du bas du fleuve, tout le monde se connaît par cœur. Et le vocabulaire des gens n'est pas non plus le même. C'est comme s'il y avait deux langues : celle de la campagne et celle de la ville. Les citadins ont souvent fait remarquer à Cécile son accent et ses drôles d'expressions. Elle leur répondait toujours fièrement : « C'est comme ça qu'on parle dans le bas du fleuve ! »

M manières ?

M citadins ?

─── 4 ───

À la manufacture de chaussures, les choses vont plutôt vite. Pas très sûre d'elle au début, Cécile prend peu à peu confiance et s'habitue au rythme de l'usine. Elle travaille souvent douze heures par jour. Son salaire est de cinq dollars par semaine et elle en envoie la moitié à son papa, Alfred. Après ses longues et fatigantes journées à l'usine, Cécile rentre chez sa tante et s'assoit dans la balançoire installée dans la cour en terre battue. Sinon, elle se cale dans un fauteuil du salon pour écouter un feuilleton à la radio.

P la moitié ?

M feuilleton ?

─── 5 ───

Voilà maintenant quelque temps que Cécile est arrivée en ville. Elle aime son travail, mais pense souvent aux siens, qui sont si loin. Un soir, elle décide : « Pas de balançoire ni de feuilleton ! » Elle sort sa plume du dimanche, son plus beau papier et sa poésie. « Je vais leur écrire pour tromper mon ennui du bas du fleuve ! » pense-t-elle, songeuse...

P aux siens ?

Chers vous autres,

Je vous écris du bout du monde... ou presque. J'espère que vous allez bien. En ville, la vie va vite ! Il y a beaucoup d'usines et les rues sont très animées. Tante Lili me traite aux petits oignons. Chez elle, c'est le grand confort. Dans la cuisine, il y a même une chantepleure avec l'eau courante et une glacière pour conserver les aliments. En plus de la visite du livreur de glace, on reçoit celle du livreur de pain et du livreur de lait (mais, en passant, son lait ne vaut pas le bon lait chaud de notre vache Hortense !).

M aux petits oignons ?

Pourtant, toutes ces commodités ne m'empêchent pas de m'ennuyer de vous tous, du bruit de la petite chute dans le bois et des soirées étoilées où l'on goûte lentement le vent du fleuve en écoutant les histoires colorées de papa Alfred...

P ces commodités ?

À très bientôt,

Cécile xx

Illustration : Leanne Franson

Découvre le personnage principal

1. Quels sont les sentiments et les réactions de Cécile...
   a) avant son départ pour la ville ?
   b) à son arrivée à Montréal ?
   c) dans le tramway ?
   d) à l'usine ?
   e) après avoir passé quelque temps en ville ?
   Associe une phrase ou une partie de phrase à chaque sentiment ou réaction.

Partie du récit	Sentiment ou réaction	Phrase ou partie de phrase
a)		

Situe l'époque

2. Trouve au moins trois indices révélant que cette histoire se déroule dans le passé.

Réagis...

3. Aimerais-tu vivre une expérience semblable à celle de Cécile ? Aurais-tu aimé vivre à son époque ? Explique ton point de vue.

4. Qu'est-ce qui t'étonne le plus dans ce récit ?

5. Pour quelles raisons recommanderais-tu à des jeunes de ton âge de lire ou de ne pas lire ce texte ?

Explique...

6. Comment as-tu fait pour comprendre le sens des mots *dépaysement* ? *obstruent* ? *manières* ? *citadins* ? *feuilleton* ? de l'expression *aux petits oignons* ?

7. Quel lien dois-tu faire pour savoir ce que désignent les mots de substitution des étiquettes-stratégies **P** la moitié ? ? **P** aux siens ? ? **P** ces commodités ? ?

8. Quelles sont les différentes expressions utilisées pour désigner Cécile ?

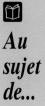

Au sujet de...

Oui, tu dis ça souvent, mais comment faire ?

On peut allonger ou raccourcir la phrase à volonté.

L'enrichissement de la phrase

Les mots *qui*, *que*, *dont* et *où* introduisent une information additionnelle dans la phrase.

*Elle voit enfin la ville **dont on lui a tant parlé**.*

*Un peu inquiète, elle observe les gens **qui montent dans le tramway**.*

*Je m'ennuie des soirées étoilées **où l'on goûte lentement le vent du fleuve**.*

À l'essai !

1. Mentionne le mot qui est précisé par chaque segment en caractères gras.

Le fondeur de cuillères

La récupération, **qui est très populaire actuellement**, ne date pas d'aujourd'hui. Au siècle dernier, les mères de famille conservaient les cuillères **qui avaient été abîmées au cours de l'année**. L'étain, **dont ces ustensiles étaient faits**, est un métal peu résistant, et les ustensiles se brisaient assez facilement. Les gens attendaient donc la venue du fondeur de cuillères. Il s'agissait souvent d'un artisan ambulant **qui parcourait les campagnes**. Ce personnage, **que les gens appréciaient**, faisait fondre les ustensiles pour en fabriquer de nouveaux. Il coulait l'étain dans un moule **dont le motif apparaissait sur le manche de la cuillère**.

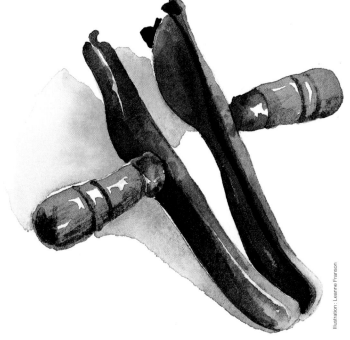

2. Allonge les phrases qui suivent.

   a) Je regarde les paysages qui ✎ .

   Je regarde les paysages que ✎ .

   b) Ne réveillez pas le chat qui ✎ .

   Ne réveillez pas le chat que ✎ .

   c) C'est une ville qui ✎ .

   C'est une ville que ✎ .

   C'est une ville où ✎ .

3. Choisis une phrase courte dans ta dernière composition et allonge-la. Choisis ensuite une phrase longue et raccourcis-la. Quelle phrase préfères-tu ? Pourquoi ?

Un souvenir inoubliable

Raconte un événement important de la vie de tes grands-parents ou d'une autre personne âgée. Essaie d'obtenir le plus de détails possible sur cet événement. 3.2.1 ▷

1. Planifie

Questionne la personne âgée de ton choix et note ses réponses.

🔊 Je questionne.

2. Rédige

Utilise tes notes pour rédiger un récit captivant, émouvant ou amusant.

T Je précise...

3. Révise

Vérifie les indices de temps. Mets en évidence un sentiment ou une réaction du héros ou de l'héroïne de ton récit.

T Je relis mon texte à mi-voix.

Je laisse des traces de ma révision.   A ▷

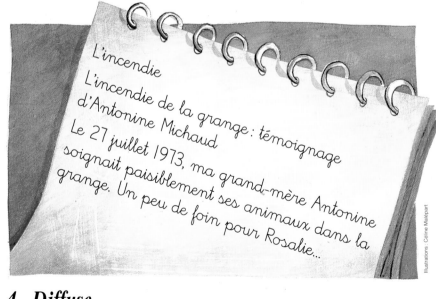

4. Diffuse

Réunissez tous vos récits pour en faire un recueil de témoignages portant sur des événements du passé.

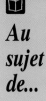

Au sujet de...

En conjuguant ces deux verbes, est-ce que j'y arriverai ?

Vouloir, c'est pouvoir.

Passé composé de l'indicatif

Vouloir		Pouvoir	
j'	ai voulu	j'	ai pu
tu	as voulu	tu	as pu
il, elle	a voulu	il, elle	a pu
nous	avons voulu	nous	avons pu
vous	avez voulu	vous	avez pu
ils, elles	ont voulu	ils, elles	ont pu

Illustration : Bruno St-Aubin

À l'essai !

1. Raconte des événements survenus hier en complétant les conjugaisons qui suivent.

   a) J'ai voulu...   *b)* J'ai pu...

   Tu as voulu...   Tu as pu...

   ...   ...

2. Complète le texte en ajoutant le verbe *vouloir* ou le verbe *pouvoir* employé au passé composé de l'indicatif.

Solidarité et entraide

Un jour, j'[1] (vouloir, 1re pers. sing.) en savoir davantage sur la vie de mes ancêtres. Je suis donc allée rencontrer mon arrière-grand-mère. Lorsqu'elle s'est mariée, elle est allée habiter dans la maison de ses beaux-parents. Elle m'a expliqué qu'à l'époque, c'était la coutume. Le fils aîné héritait de la maison paternelle et de la terre. En retour, il s'engageait à héberger ses parents. Mon aïeule m'a aussi raconté qu'un jour, ils [2] (vouloir, 3e pers. plur.) ajouter une grange pour abriter du bétail supplémentaire. À cette époque, les voisins avaient l'habitude de s'entraider pour accomplir les gros travaux. En mettant tous la main à la pâte, ils [3] (pouvoir, 3e pers. plur.) ériger la nouvelle construction en quelques jours seulement. « Peu à peu, nous [4] (pouvoir, 1re pers. plur.) améliorer notre sort », m'a expliqué mon arrière-grand-mère.

Illustration : Johanne Pépin

1. À l'aide d'un élément de chaque case, compose cinq phrases différentes. Ajoute des mots pour que tes phrases soient complètes.

Complément

Dernièrement,

Durant la fin de semaine,

L'autre jour,

Finalement,

Après plusieurs heures de discussion,

Verbe

ai voulu

avons voulu

as pu

ont pu

avez pu

Complément

planche à voile

livres

cinéma

de nouveaux jeux

entente

2. Écris au présent de l'indicatif les verbes du texte *L'incendie de la grange*.

L'incendie de la grange

Soudainement, la foudre [1] (frapper, 3e pers. sing.). Après avoir fracassé le sommet d'un rocher, elle [2] (arracher, 3e pers. sing.) la porte de la grange. Les animaux [3] (gémir, 3e pers. plur.) de peur. Le feu a pris au grenier. Tremblante de peur, grand-mère Antonine [4] (faire, 3e pers. sing.) sortir les bêtes. Elle voudrait toutes les sauver, mais elle ne le [5] (pouvoir, 3e pers. sing.) pas. Clothilde, sa jument, [6] (demeurer, 3e pers. sing.) prisonnière des flammes.

Il [7] (être, 3e pers. sing.) 17 heures 30 lorsque les pompiers [8] (arriver, 3e pers. plur.) sur les lieux. Ils [9] (travailler, 3e pers. plur.) durant plusieurs heures pour arriver à éteindre l'incendie. Ébranlée par cet événement, grand-mère essuie quelques larmes qui [10] (glisser, 3e pers. plur.) sur ses joues encore chaudes. Dans le champ, les animaux épargnés [11] (retrouver, 3e pers. plur.) peu à peu leur calme. Jamais grand-mère n'oubliera cette journée !

1. Classe les verbes de la rubrique «Mot à mot» en ordre alphabétique.

2. Trouve des mots de la même famille que ceux mentionnés. Utilise ton dictionnaire !

Nom	Adjectif	Verbe	Adverbe
a)			lentement
b)			longuement
c) malheur		—	malheureusement
d)	changeant, changeante		—
e)		détruire	—

3. Choisis le mot qui convient pour compléter les phrases qui suivent. Consulte ton dictionnaire !

vers   vert   verre   ver   verres

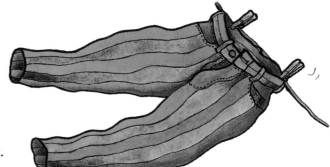

a) Je marche   ✎   la fenêtre.

b) Ce poème est écrit en   ✎   .

c) Ton pantalon est   ✎   et rouge.

d) Donne-moi un   ✎   d'eau.

e) Julie porte des   ✎   de contact.

f) Le   ✎   de terre s'appelle aussi *lombric*.

4. Associe chacune des expressions mentionnées à sa signification. Consulte ton dictionnaire !

a) scène de ménage	1. personne dure et insensible
b) jeter la pierre à quelqu'un	2. violente querelle entre époux
c) cœur de pierre	3. taquiner ou persécuter quelqu'un
d) faire des misères à quelqu'un	4. avoir une malchance persistante
e) jouer de malheur	5. accuser ou blâmer quelqu'un

Mot à mot

3.2.2 ▷

changer	détruire	possible
depuis	environ	radio
lentement	au lieu de	remonter
minute (min)	malheur	salon
souvenir	ménage	longtemps
se souvenir	meuble	
statue	misère	
vers	mode	
frapper	obliger	
peu	pierre	
téléphone	plan	
télévision		
ancien		
ancienne		
crise		
croix		

Paysages d'autrefois

? • Examine les photos des pages 68 et 70, qui ont été prises vers 1910. Que représentent-elles ?

• Que sais-tu de cette époque ? Quels étaient les moyens de transport utilisés dans les villes ? dans les campagnes ?

• Quels moyens de transport se sont répandus depuis les années 1910 ?

• Quels changements les nouveaux moyens de transport ont-ils entraînés dans les voies de communication de ta région ? dans les villes et à la campagne ?

a)

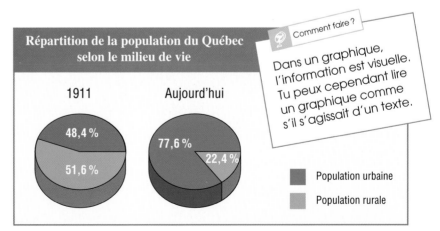

Photo : Archives nationales du Québec à Montréal

La population et le milieu de vie

••• • Observe les deux graphiques ci-contre. Qu'est-ce qu'ils illustrent ?

• Que désigne chacune des couleurs utilisées dans ces graphiques ?

• Explique la différence qu'il y a entre ces deux graphiques. Formule une phrase à partir des informations fournies par chacun d'eux.

Répartition de la population du Québec selon le milieu de vie

1911 — 48,4 % / 51,6 %

Aujourd'hui — 77,6 % / 22,4 %

■ Population urbaine
■ Population rurale

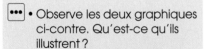
Comment faire ?

Dans un graphique, l'information est visuelle. Tu peux cependant lire un graphique comme s'il s'agissait d'un texte.

Les principales villes du Québec en 1911

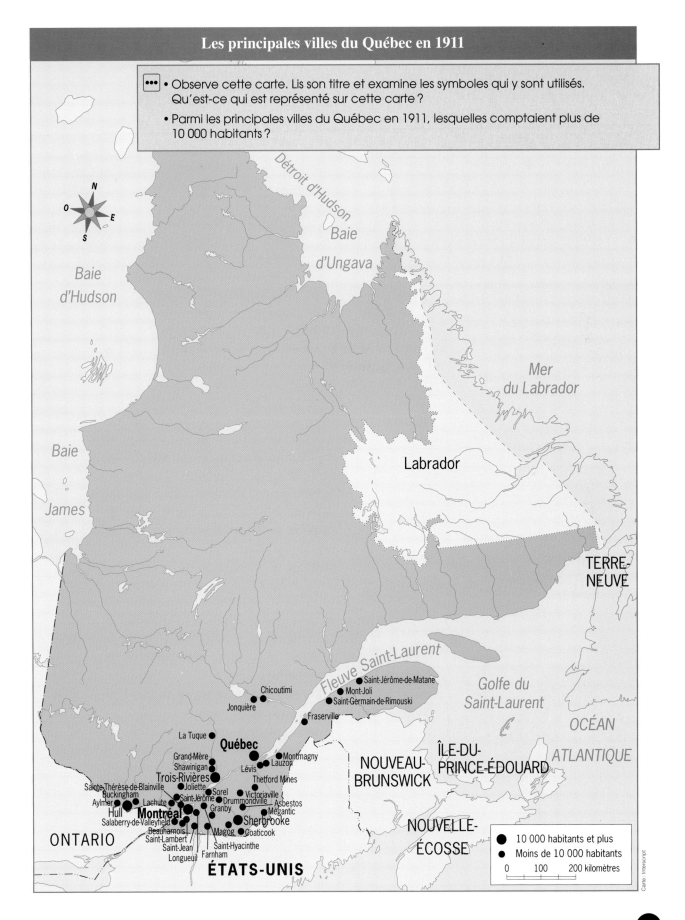

- ••• • Observe cette carte. Lis son titre et examine les symboles qui y sont utilisés. Qu'est-ce qui est représenté sur cette carte?
- Parmi les principales villes du Québec en 1911, lesquelles comptaient plus de 10 000 habitants?

Détroit d'Hudson

Baie d'Ungava

Baie d'Hudson

Mer du Labrador

Baie

James

Labrador

TERRE-NEUVE

Fleuve Saint-Laurent

Golfe du Saint-Laurent

OCÉAN

ATLANTIQUE

Saint-Jérôme-de-Matane

Chicoutimi

Mont-Joli

Saint-Germain-de-Rimouski

Jonquière

Fraserville

La Tuque

Québec

Montmagny

Grand-Mère

Lauzon

Shawinigan

Lévis

ÎLE-DU-PRINCE-ÉDOUARD

Trois-Rivières

Thetford Mines

NOUVEAU-BRUNSWICK

Sainte-Thérèse-de-Blainville

Joliette

Sorel

Victoriaville

Buckingham

Saint-Jérôme

Drummondville

Asbestos

Aylmer

Lachute

Granby

Mégantic

Hull

Montréal

Sherbrooke

Salaberry-de-Valleyfield

NOUVELLE-ÉCOSSE

Beauharnois

Magog

Coaticook

Saint-Lambert

ONTARIO

Saint-Jean

Saint-Hyacinthe

Longueuil

Farnham

ÉTATS-UNIS

● 10 000 habitants et plus

● Moins de 10 000 habitants

0   100   200 kilomètres

Carte : Interscript

69

• Quelles étaient les villes importantes dans ta région en 1911 ?

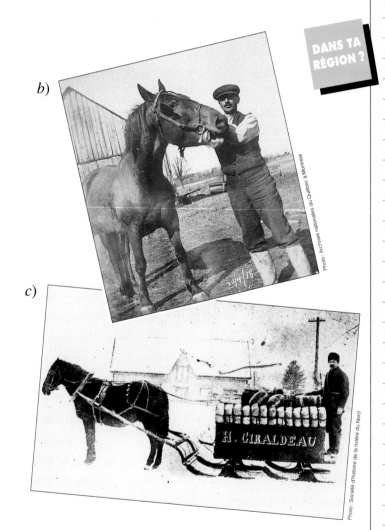
Je compare.

• Compare quelques villes importantes de ta région. Utilise une carte de ta région, le tableau ci-contre ou des photos représentant ces villes autrefois et aujourd'hui. Note leur nom ainsi que leur population en 1911 et en 1995.

Villes de ma région	Population en 1911	Population en 1995

• Qu'est-ce qui a changé dans la population des villes de ta région ? dans l'importance de ces villes les unes par rapport aux autres ? dans leur nombre ?

b)

DANS TA RÉGION ?

Photo : Archives nationales du Québec à Montréal

c)

Photo : Société d'histoire de la rivière du Nord

Sources : LINTEAU, Paul-André, René DUROCHER et Jean-Claude ROBERT. *Histoire du Québec contemporain : de la Confédération à la crise*, Les Éditions du Boréal, 1989.

MINISTÈRE DES AFFAIRES MUNICIPALES. *Répertoire des municipalités du Québec*, 1996.

Population de quelques villes importantes du Québec

Ville	Population	
	1911	1995
Asbestos	2 224	6 674
Aylmer	3 109	34 927
Beauharnois	2 015	6 665
Buckingham	3 854	11 429
Chicoutimi	5 880	64 616
Coaticook	3 165	6 942
Drummondville	1 725	45 554
Farnham	3 560	6 428
Granby	4 750	45 194
Grand-Mère	4 783	14 841
Hull	18 222	65 764
Joliette	6 346	18 308
Jonquière	2 354	59 734
Lachute	2 407	12 258
Lac-Mégantic	2 399 (Mégantic)	5 941
La Tuque	2 934	13 211
Lauzon	3 978	
Lévis	7 452	42 635
Longueuil	3 972	137 134
Magog	3 978	14 669
Matane	2 056 (Saint-Jérôme-de-Matane)	12 725
Mont-Joli	2 141	6 489
Montmagny	2 617	11 830
Montréal	470 480	1 030 678
Québec	78 190	175 039
Rimouski	3 097 (Saint-Germain-de-Rimouski)	32 397
Rivière-du-Loup	6 774 (Fraserville)	14 354
Sainte-Thérèse	2 120 (Sainte-Thérèse-de-Blainville)	26 373
Saint-Hyacinthe	9 797	41 063
Saint-Jean-sur-Richelieu	5 903 (Saint-Jean)	39 724
Saint-Jérôme	3 473	25 574
Saint-Lambert	3 344	22 148
Salaberry-de-Valleyfield	9 449	28 516
Shawinigan	4 265	20 723
Sherbrooke	16 405	79 432
Sorel	8 420	24 964
Thetford Mines	7 261	18 669
Trois-Rivières	13 691	51 412
Victoriaville	3 028	38 191

Les voies de communication

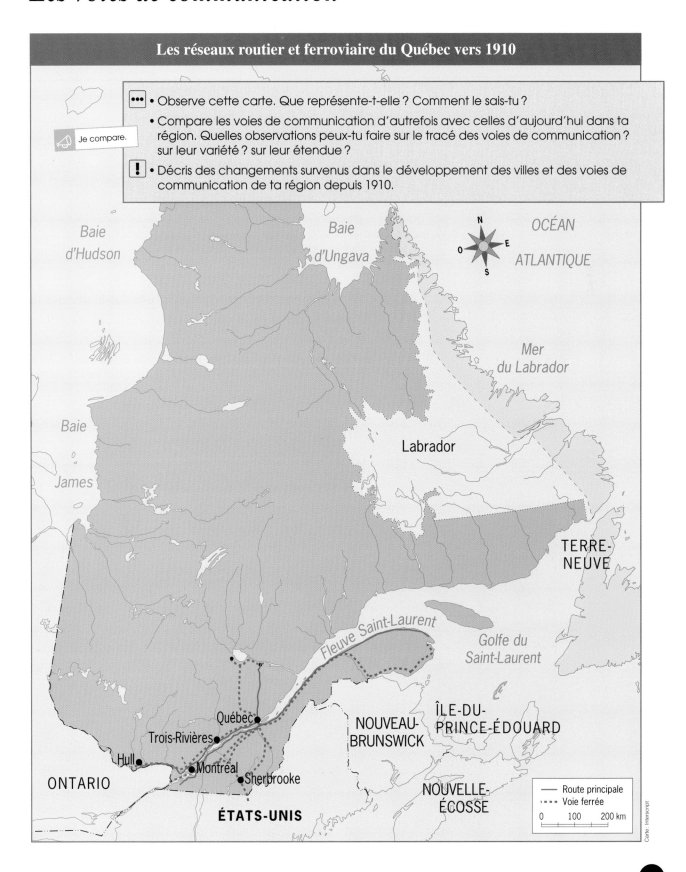

Les réseaux routier et ferroviaire du Québec vers 1910

- **•••** • Observe cette carte. Que représente-t-elle ? Comment le sais-tu ?

- *Je compare.* • Compare les voies de communication d'autrefois avec celles d'aujourd'hui dans ta région. Quelles observations peux-tu faire sur le tracé des voies de communication ? sur leur variété ? sur leur étendue ?

- **!** • Décris des changements survenus dans le développement des villes et des voies de communication de ta région depuis 1910.

Baie d'Hudson

Baie d'Ungava

OCÉAN ATLANTIQUE

Mer du Labrador

Baie James

Labrador

TERRE-NEUVE

Fleuve Saint-Laurent

Golfe du Saint-Laurent

Québec

NOUVEAU-BRUNSWICK

ÎLE-DU-PRINCE-ÉDOUARD

Trois-Rivières

Hull

Montréal

Sherbrooke

ONTARIO

ÉTATS-UNIS

NOUVELLE-ÉCOSSE

— Route principale
···· Voie ferrée

0   100   200 km

Carte : Interscript

Scènes de la vie d'autrefois *(1re partie)*

Alain Parent

Au début du 20e siècle, nos ancêtres vivaient d'une façon différente de la nôtre. Ils ne possédaient pas d'auto ou d'appareils électroniques et, bien souvent, il n'y avait pas d'électricité dans leur maison. Un peu partout au Québec, ils accomplissaient leur travail quotidien à leur manière...

[M] travail quotidien ?

Photo : Liane Montplaisir

Les activités d'exploitation

Dans les champs comme à la mer, le travail manuel occupe une place importante. Que ce soit pour les labours des champs ou pour le séchage de la morue, on utilise des techniques traditionnelles. Les agriculteurs labourent leurs terres et transportent les récoltes à l'aide d'outils et de véhicules tirés par des chevaux ou des bœufs. La mécanisation, c'est-à-dire l'utilisation de machines, est presque absente des fermes. Les pêcheurs doivent saler, sécher ou mettre en conserve toutes leurs prises. Comme il n'y a pas de réfrigération, on ne peut conserver le poisson frais.

M réfrigération ?

J'utilise les photos.

*b) **Gaspésie–Îles-de-la-Madeleine** :
Séchage de la morue sur les grèves
de Gaspé.*

*c) **Laurentides** :
Labourage d'un champ.*

*a) **Montérégie** :
Récolte du tabac
à Saint-Césaire.*

*d) **Mauricie – Bois-Francs** :
Camp de bûcherons
à Wendover.*

Photo: ANQ Louis-Prudent Vallée / Fonds École normale Laval

Photo: La Presse

Photo: Ginette Létourneau

Photo: Coll. C. Verrier

73

Les activités de fabrication et de transformation

Au début du siècle, on utilise la machine à vapeur et on développe l'hydroélectricité. Dans les villes, il y a de plus en plus d'usines de textiles et de chaussures, de fonderies, de papeteries, etc. En même temps, plusieurs ouvriers, comme le forgeron-ferblantier, continuent d'exercer leur métier dans de petits ateliers.

J'utilise la ponctuation.

◀ *f*) **Montréal** : *Intérieur d'une manufacture à Montréal.*

e) **Québec** : *Construction d'un voilier au chantier maritime de Lévis.* ▼

g) **Outaouais** : *Fabricant de papier J.R. Booth, dans la région de Hull.* ▶

▲

h) **Chaudière-Appalaches** : *Boutique d'un forgeron-ferblantier à Cap-Saint-Ignace.*

Sélectionne...

1. Associe une partie de phrase ou une phrase du texte aux photos *a*, *b*, *c*, *d*, *f*, *g* et *h* des pages 73 et 74.

2. Que peux-tu dire sur les sources d'énergie et les machines utilisées autrefois dans les activités d'exploitation, de fabrication et de transformation ?

Scènes de la vie d'autrefois *(2e partie)*

> ••• • Observe les photos suivantes, qui illustrent des activités liées aux services et au commerce d'autrefois.
> Lis ensuite les légendes des photos et le texte.

Les activités liées aux services

 grand essor?

Au tournant du siècle, le secteur des services connaît un grand essor dans les villes. Les principaux services offerts sont liés à l'administration municipale et gouvernementale, à l'hôtellerie, à la restauration, à l'enseignement, à la santé, au droit, à la communication (poste et télégraphe) et aux transports (tramways, trains et bateaux à vapeur).

◀ *j) **Côte-Nord** : L'hôtel Tadoussac.*

Photo : La Presse

*i) **Estrie** : Le séminaire de Sherbrooke.* ▼

Photo : Archives du Séminaire de Sherbrooke

*k) **Abitibi-Témiscamingue** : L'intérieur de l'hôpital de Ville-Marie.* ▼

Photo : Gilles Amesse

Les activités liées au commerce

M typique ?

M sellerie ?

En ville, à cette époque, une rue commerciale typique comporte habituellement une épicerie, un restaurant, un magasin général, une pharmacie, une boutique de tailleur, une banque, un atelier de fabrication de voitures, une sellerie, une cordonnerie, un hôtel et un marché. Dans une grande ville comme Montréal, il y a aussi des magasins à rayons. Dans les régions éloignées ou dans les petits villages, les gens se procurent le nécessaire au poste de traite ou au magasin général.

l) ***Bas-Saint-Laurent :*** *Salon de barbier à Sainte-Anne-de-la-Pocatière.*

Photo: Coll. Imprimerie Fortin, La Pocatière

n) ***Laval :*** *Épicerie.*

Photo: ANQ Chicoutimi / 68349

m) ***Saguenay – Lac-Saint-Jean :*** *Intérieur d'une banque à Chicoutimi.*

Photo: Archives de la Ville de Québec / 17763

▶ *o)* **Lanaudière** : *Marché public à Joliette.*

◀ *p)* **Nord-du-Québec** : *Poste de traite du nord du Canada, semblable à ceux de la région du Nord-du-Québec.*

Sélectionne...

1. Que peux-tu dire sur les lieux où l'on exerce les activités liées aux services et au commerce ? sur l'équipement utilisé ?

2. Vers 1900, quels sont les professions ou les métiers liés au secteur des services ? Que dois-tu faire pour répondre à cette question ?

Explique...

3. Comment as-tu fait pour découvrir le sens des mots et des expressions *travail quotidien* (1ʳᵉ partie) ? *réfrigération* (1ʳᵉ partie) ? *grand essor* (2ᵉ partie) ? *typique* (2ᵉ partie) ? *sellerie* (2ᵉ partie) ?

4. Observe l'organisation de l'information dans le deuxième paragraphe de la première partie du texte. Quelles phrases se rapportent à l'agriculture ? à la pêche ? aux deux activités ?

5. Quelle est la nature du mot *nécessaire* dans le deuxième paragraphe de la deuxième partie du texte ?

• Dans ta région, quelles étaient les activités d'exploitation, de fabrication et de transformation autrefois ? les activités liées aux services et au commerce ? Renseigne-toi sur ces sujets. Note les renseignements obtenus.

⚠ • Quelle était l'occupation principale des gens de ta région au début du siècle ? Complète les énoncés qui suivent :

Autrefois, dans ma région...
– les gens qui exploitaient les ressources naturelles travaillaient surtout (où ?)...
– ceux qui transformaient les matières premières fabriquaient surtout (quoi ?)...
– ceux qui offraient des services travaillaient surtout (où ?)...

Qu'est-ce que les mots *parachute*, *parapluie*, *parasol* et *paratonnerre* ont en commun ?

Le préfixe *para-*, qui veut dire « qui protège ».

Les préfixes et les suffixes

1. Les préfixes et les suffixes servent à former des mots.

2. Un préfixe est placé au début du mot.
   in- : **in**capable, **in**habituel
   re- : **re**commencer, **re**prendre
   mé- : **mé**contente, **mé**sentente

3. Un suffixe est placé à la fin du mot.
   -eur : agricult**eur**, pêch**eur**
   -ation : conserv**ation**, réfrigér**ation**, mécanis**ation**
   -erie : épic**erie**, sell**erie**, cordonn**erie**

Illustration : Bruno St-Aubin

À l'essai !

1. Dans le texte qui suit, trouve des mots formés à l'aide d'un suffixe semblable à ceux qui suivent.

   *épic**erie** (lieu)*   *menuis**ier**, menuis**ière** (personne)*

L'alimentation au gré des saisons

À l'époque où les grandes épiceries n'existaient pas encore et avant l'arrivée de l'électricité, les habitants des campagnes devaient faire preuve de beaucoup d'ingéniosité. Pour exploiter la ferme et garantir un certain confort à leur famille, les parents devaient être tour à tour menuisier, menuisière, agriculteur, agricultrice, berger, bergère, infirmier, infirmière, cuisinier, cuisinière, couturier ou couturière. En plus d'une étable, la ferme comptait souvent un poulailler, une porcherie, une bergerie, une laiterie et une sucrerie.

Illustration : Hélène Desputeaux

2. Donne le sens des suffixes en caractères gras dans chacune des listes de mots qui suivent. Choisis parmi les significations proposées.

a) signifie *manger*

b) donne une idée de petitesse

c) indique la manière

d) désigne une personne

e) indique une action

f) signifie *sciences*

g) indique la capacité, la possibilité

h) indique une qualité

i) indique le résultat d'une action

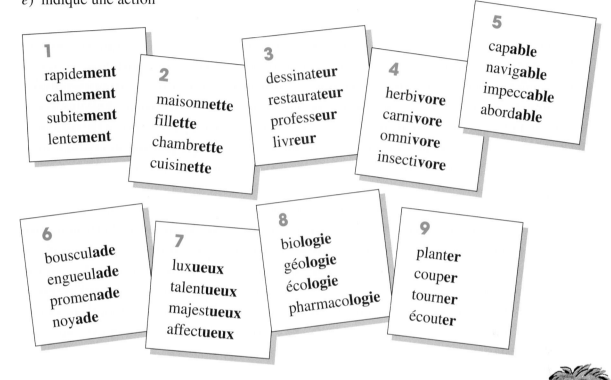

1
rapide**ment**
calme**ment**
subite**ment**
lente**ment**

2
maisonn**ette**
fill**ette**
chambr**ette**
cuisin**ette**

3
dessinat**eur**
restaurat**eur**
profess**eur**
livr**eur**

4
herbi**vore**
carni**vore**
omni**vore**
insecti**vore**

5
cap**able**
navig**able**
impecc**able**
abord**able**

6
boscul**ade**
engueul**ade**
promen**ade**
noy**ade**

7
lux**ueux**
talent**ueux**
majest**ueux**
affect**ueux**

8
bio**logie**
géo**logie**
éco**logie**
pharmaco**logie**

9
plant**er**
coup**er**
tourn**er**
écout**er**

3. Trouve dans ton dictionnaire deux mots formés à l'aide de chacun des préfixes mentionnés.

a) in-   *c*) bio-   *e*) micro-

b) anti-   *d*) géo-

4. Dans les rubriques « Mot à mot » de ton manuel, trouve cinq mots qui contiennent un préfixe ou un suffixe.

Délire de lire

La chasse aux chiffres et aux dates

À la bibliothèque, trouve le plus de livres possible dont le titre comporte un chiffre ou une date. Note les références de ces livres. Y en a-t-il un qui t'intéresse ? Pourquoi ?

Le cheval tacheté

Yves Beauchesne et David Schinkel

> • Écoute ce récit, dans lequel un vieil homme évoque ses souvenirs.
> Découvre ce que ressent cet homme.

J'invente des images et des bruits.

Je suis sensible à mes réactions.

Je repère les indices sonores.

À toutes les deux marches, le vieillard s'arrête pour reposer ses jambes. Quand on a 87 ans, monter au grenier est une véritable expédition ! La sueur perle sur son front... Enfin rendu au sommet, il tient sa canne à deux mains pour reprendre son souffle. C'est sombre dans le grenier. Ça sent le moisi et la poussière. Une tête de chevreuil le regarde de ses yeux vitreux. D'une voix éraillée, il lance : « Je m'en viens, mon cheval. Je m'en viens. »

Le grenier est plein à craquer. Des meubles détériorés. Une machine à coudre à pédale. Des boîtes et des boîtes de vêtements. Une lampe à l'huile. De vieux missels aux tranches dorées. Une horloge éventrée et son pendule. Et un tas d'autres choses encore, empilées les unes par-dessus les autres. Il ne reste qu'un étroit corridor qui zigzague entre chaises et malles.

L'homme avance lentement, en traînant le pas. Le bois du plancher gémit sous son poids. Il s'arrête pour enlever une toile d'araignée d'un coup de canne. Puis il repart en direction de la petite fenêtre sous les combles. Doucement, il s'assoit sur le coffre de métal qui se trouve sous la lucarne.

« Enfin, mon beau. Te voilà. » Le vieil homme tend sa main osseuse. Il caresse le museau du cheval de bois devant lui. « Je suis venu te faire mes adieux. Je suis trop vieux maintenant pour grimper au grenier. Alors, c'est ma dernière visite aujourd'hui. Non, ne sois pas triste, mon beau. J'ai une surprise pour toi. Je vais faire ta toilette. » De la poche droite de son tricot de laine, il tire une brosse à cheveux.

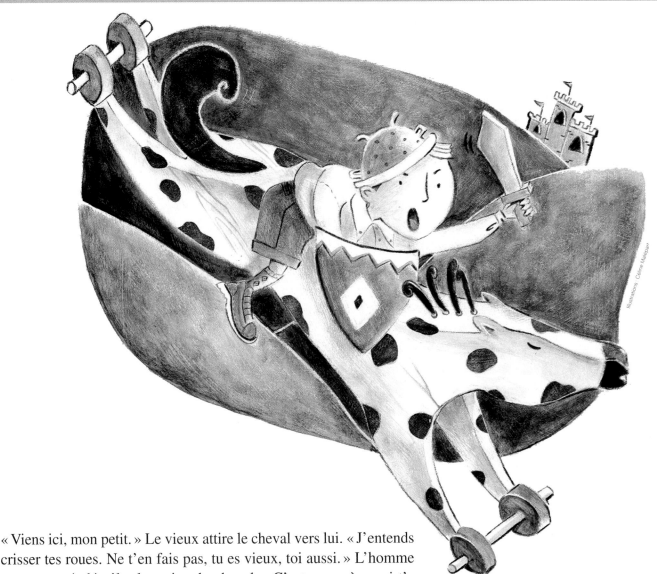

Illustrations: Céline Malépart

« Viens ici, mon petit. » Le vieux attire le cheval vers lui. « J'entends crisser tes roues. Ne t'en fais pas, tu es vieux, toi aussi. » L'homme commence à démêler les crins du cheval. « C'est mon père qui t'a sculpté. D'une immense bûche que j'avais trouvée moi-même dans la forêt. Je n'avais que cinq ans à l'époque. Papa t'a fait très musclé. Pour aller plus vite, qu'il m'avait dit. Et puis il t'a attaché ces beaux crins que je brosse. Papa les avait coupés dans la queue de sa vieille jument Brunette... »

Le vieillard s'arrête de brosser et examine son cheval de bois. « Là, tu es presque aussi beau que quand nous étions jeunes. Il ne me reste plus que ton pelage à faire. Il faut rafraîchir tes taches. » Le vieux sort de sa poche gauche un petit pot de peinture noire. Puis un pinceau. Il se met à peindre et parle en même temps. « Ah, comme nous nous amusions quand on était jeunes ! N'est-ce pas, mon beau ? T'en souviens-tu ? Je montais sur ton dos et je devenais chevalier. Tu étais la monture la plus noble du comté. Et tu courais si vite ! Vite comme le vent. Nous allions combattre le dragon qui crachait le feu plein sa gueule. Il vivait dans la forêt derrière la grange. Et toi, tu n'avais jamais peur ! T'en souviens-tu, mon beau ? »

Tout l'après-midi, le vieillard repeint les petites taches. Il parle encore et encore des aventures qu'ils ont vécues ensemble, lui et son cheval de bois. Jusqu'à ce que les taches noires sur le cheval blanc brillent toutes comme des morceaux de charbon sur la neige.

« Tiens, mon beau, c'est le temps pour moi de partir. » Il regarde par la fenêtre. Le soleil a presque disparu. La nuit tombe tôt en hiver. Le vieil homme se met debout et se penche sur son cheval. Il donne un bec à son museau noir.

« Adieu, mon beau cheval. Nous ne nous reverrons plus. Mais tu seras toujours là, avec moi, dans mes souvenirs... » Le vieillard tourne son dos arrondi. Dans la faible lumière qui traverse la fenêtre givrée, il se dirige vers l'escalier une dernière fois.

Personne n'est là pour apercevoir la grosse larme qui prend forme dans l'œil du cheval tacheté. Une larme qui glisse à travers la peinture fraîche et tombe du museau. Une larme qui n'est aujourd'hui qu'une tache noire sur le plancher du grenier.

© David C. Schinkel, *Le musée amusant*,
Musée de la civilisation.

Comprends et réagis...

1. *a)* Quels souvenirs le vieil homme évoque-t-il ?
   b) Quels soins donne-t-il au cheval ?

2. À ton avis, que ressent le vieillard en faisant cette visite au grenier ? Justifie ta réponse.

Prévois et réagis...

3. Qu'arrivera-t-il au vieillard ? à son cheval ?

4. À quoi ce récit te fait-il penser ?

5. Qu'est-ce qui est invraisemblable dans cette histoire ?

6. Quel événement trouves-tu le plus émouvant ?

Explique...

7. Quels indices sonores livrés par le lecteur ou la lectrice t'ont permis de comprendre ce récit ?

8. Qu'est-ce qui a nui à ta compréhension ?

Des dents pour chaque menu

[?] • Que mangent les gerbilles ?

[☺] • Quels aliments as-tu mangés hier ? Note-les de mémoire. [4.1.1] ▷

• Parmi les aliments que tu manges, lesquels sont d'origine végétale ? animale ?

• Quels outils utilises-tu pour manger ?

• Regarde tes dents dans un miroir. Combien en as-tu ? Quelle est leur forme ?

• D'après toi, à quoi servent tes différents types de dents ?

• Est-ce que la forme des dents a une relation avec le type d'aliments qu'on mange ?

• Les animaux ont-ils aussi différents types de dents ?

Pour découvrir à quoi servent les dents... [•••]

1. Mange un bâtonnet de céleri et observe la fonction de tes incisives et celle de tes molaires.

2. Prends l'empreinte de tes dents en mordant dans deux morceaux de mie de pain séparés par un carton mince. Que remarques-tu ? Tes empreintes sont-elles semblables à celles des autres élèves ?

3. Sur l'illustration ci-contre, peux-tu reconnaître les incisives ? les canines ? les molaires ? [4.1.2] ▷

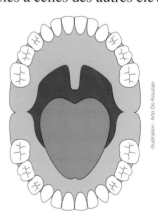

4. À quoi servent les incisives ? les canines ? les molaires ? [4.1.2] ▷

5. À quels outils pourrais-tu comparer tes incisives ? tes molaires ? [4.1.2] ▷

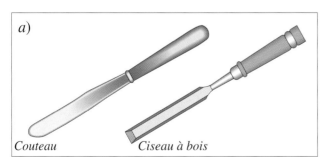

a) *Couteau*   *Ciseau à bois*

b) *Presse-ail*   *Marteau*

6. Qu'arriverait-il si tes molaires étaient à l'avant de ta mâchoire et tes incisives à l'arrière ?

⋯ *Pour en savoir davantage sur la dentition des mammifères...*

1. Observe la dentition du lion et celle de l'orignal. À ton avis, pourquoi sont-elles différentes ?

Photo : Jardin zoologique de Québec / P. Pouliot

Photo : Jardin zoologique de Québec

a) *Lion.*

b) *Orignal.*

2. Voici la description de différents types de dents. Trouve à quel animal chacun de ces types de dents appartient. Pour le savoir, porte attention à l'alimentation de chaque animal.

Type de dents
a) Crocs acérés qui déchirent la viande
b) Petites dents aiguës qui saisissent et mordent
c) Grosses molaires carrées qui écrasent les aliments

Animal	Alimentation
1. Léopard	Antilopes, singes, oiseaux, rongeurs
2. Cheval	Herbe
3. Chauve-souris	Insectes

Photo : Corel

Savais-tu que les défenses d'éléphant sont des incisives à la forme très particulière ? L'éléphant les utilise pour arracher des troncs d'arbres, soulever leur écorce, creuser le sol à la recherche de racines, combattre ses ennemis et impressionner les autres éléphants.

Un grand nombre d'éléphants d'Afrique ont été abattus pour leurs défenses en ivoire. Maintenant, le commerce de l'ivoire est interdit, mais les éléphants survivront-ils aux massacres du passé ?

! • Qu'as-tu appris sur l'alimentation ? sur les dents ?

• À quoi servent les dents ?

• Pourquoi les types de dents varient-ils d'une espèce animale à une autre ?

• Comment l'as-tu appris ?

☺ • Est-il important d'avoir de bonnes dents ? Pourquoi ?

☺ • Que doit-on faire pour s'assurer d'avoir de bonnes dents ?

84

La girafe, la baleine et les autres

• Lis les poèmes suivants, qui concernent des animaux, et découvre ce que les poètes écrivent à leur sujet. Porte attention à tes réactions !

Girafe

André Vigeant

> J'invente des images et des bruits.

> **P** Je lis en groupant les mots.

Une girafe altière
Souffrant de vertige
S'assied sur son derrière
Pour sauver son prestige

Longiligne gazelle
Au profil de tour Eiffel
Elle a pris, oh surprise !
Celui de la tour de Pise

Hélas ! Mille fois hélas
Elle n'ira plus la fière
Musarder où se prélassent
Nuages et montgolfières.

Le Bestiaire d'Anaïs, Éditions du Boréal.

Illustrations : Virginie Faucher

Baleine

André Vigeant

Jonas dans la baleine
N'a pas fait bon voyage.
Elle avait mauvaise haleine
À cause de son grand âge.

Voilà pourquoi, n'y tenant plus,
Il cria : « C'est assez ! »
Le mammifère, confondu,
En resta bouche bée.

Jonas en profita pour s'évader...

Le Bestiaire d'Anaïs, Éditions du Boréal.

Le singe

Léda Miléva

Petit singe si drôle
au malicieux minois !
Tu sautes de branche en branche,
grignotes des bonbons,
épluches des pépins
et croques des amandes.

Arrête-toi donc que je voie
si tu sais compter jusqu'à trois !
Mais non, tu ne sais pas :
tu n'es qu'un petit singe
au malicieux minois.

> Je suis sensible à
> mes réactions.

Le Bel Épouvantail, Éditions Saint-Germain-des-Prés.

L'écureuil et la feuille

Maurice Carême

Un écureuil, sur la bruyère,
Se lave avec de la lumière.

Une feuille verte descend,
Doucement portée par le vent.

Et le vent balance la feuille
Juste au-dessus de l'écureuil ;

Le vent attend, pour la poser
Légèrement sur la bruyère,

Que l'écureuil soit remonté
Sur le chêne de la clairière

Où il aime à se balancer
Comme une feuille de lumière.

La Lanterne magique, © Fondation Maurice Carême.

Zébrur

André Vigeant

Quand je dis noir, elle dit blanc !
   dit papa zèbre.
Quand je dis blanc, il dit noir !
   dit maman zèbre.
Ça y est, pense bébé zèbre,
   le dialogue s'est enrayé !

Le Bestiaire d'Anaïs, Éditions du Boréal.

Complainte du petit cheval blanc

Paul Fort

Le petit cheval dans le mauvais temps, qu'il avait donc du courage !
    C'était un petit cheval blanc, tous derrière et lui devant.

Il n'y avait jamais de beau temps dans ce pauvre paysage.
    Il n'y avait jamais de printemps, ni derrière ni devant.

Mais toujours il était content, menant les gars du village
    à travers la pluie noire des champs, tous derrière et lui devant.

Sa voiture allait poursuivant sa belle petite queue sauvage.
    C'est alors qu'il était content, eux derrière et lui devant.

Mais un jour, dans le mauvais temps, un jour qu'il était si sage,
    il est mort par un éclair blanc, tous derrière et lui devant.

Il est mort sans voir le beau temps, qu'il avait donc du courage !
    Il est mort sans voir le printemps, ni derrière ni devant.

Ballades françaises, Flammarion. (Collection GF grand format)

J'invente des images et des bruits.

Illustrations: Virginie Faucher

Le zèbre

Robert Desnos

P J'utilise la ponctuation.

Le zèbre, cheval des ténèbres,
Lève le pied, ferme les yeux
Et fait résonner ses vertèbres
En hennissant d'un air joyeux.

Au clair soleil de Barbarie,
Il sort alors de l'écurie
Et va brouter dans la prairie
Les herbes de sorcellerie.

Mais la prison, sur son pelage,
A laissé l'ombre du grillage.

Chantefables et Chantefleurs, © Librairie Grūnd.

Réagis...

1. Les poèmes te font-ils sourire ? te rendent-ils heureux ou heureuse ? triste ?
2. Quelles images chacun des poèmes précédents t'inspire-t-il ?
3. Quel poème préfères-tu ? Dessine une des images que t'inspire ton poème préféré.

Explique...

4. À ton avis, que veut dire l'expression « se lave avec de la lumière » dans le poème *L'écureuil et la feuille* (p. 86) ?
5. Pourquoi la pluie est-elle noire dans le poème *Complainte du petit cheval blanc* (p. 87) ?
6. Dans le poème *Baleine* (p. 85), quel groupe du nom est utilisé pour remplacer les mots *la baleine* ? Quel pronom ?
7. Remplace les mots de substitution dans la phrase « Elle a pris, oh surprise ! Celui de la tour de Pise » (*Girafe*, p. 85) ?

Que fais-tu avec
tous ces objets?

J'en ai besoin pour
écouter des
poèmes.

Sourdine
en
spectacle

POÉSOURIS

Des mots évocateurs

Dans les poèmes, il y a...

* des mots pour voir
     Nuages et montgolfières
* des mots pour entendre
     En hennissant d'un air joyeux
* des mots pour rire
     le dialogue s'est enrayé!

* des mots pour émouvoir
     Il est mort sans voir le printemps
* des mots pour dire ou pour chanter
     ... tous derrière et lui devant...
     ... ni derrière ni devant...
     ... eux derrière et lui devant...

À l'essai!

1. Voyage dans ton dictionnaire. Écris le mot *prestige* sur une feuille et cherche-le dans ton dictionnaire.
   Choisis un mot qui t'intéresse dans la définition et écris-le sous le mot *prestige*.
   Cherche la définition de ce mot et choisis dans celle-ci un deuxième mot qui te plaît.
   Écris-le et continue à voyager ainsi jusqu'à ce que tu aies «visité» huit mots.

     Exemple : prestige
                    admiration
                         mépris
                              etc.

2. Transforme un poème. Remplace tous les noms en gras du poème qui suit par d'autres noms que tu trouveras dans ton dictionnaire. Attention! suis une des règles mentionnées.

   a) Nom + 1 : utilise le premier nom qui suit *singe, minois, branche*, etc.
   b) Nom – 1 : utilise le premier nom qui précède *singe, minois, branche*, etc.
   c) Nom + 2 : utilise le deuxième nom qui suit *singe, minois, branche*, etc.

*Petit **singe** si drôle*

*Au malicieux **minois**!*

*Tu sautes de **branche** en **branche**,*

*grignotes des **bonbons**,*

*épluches des **pépins***

*et croques des **amandes**.*

Fantaisie animale

Regarde le monde animal avec des yeux de poète. Crée des images et de la musique avec des mots. Rédige un poème portant sur un animal de ton choix. 4.2.1 ▷

1. *Imagine et associe*

Choisis un animal et cherche des idées et des mots pour le décrire.

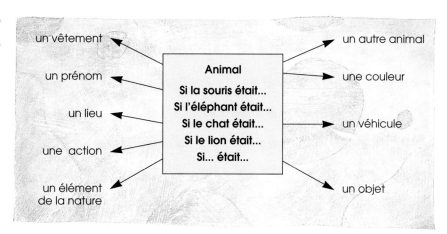

un vêtement

un prénom

un lieu

une action

un élément de la nature

Animal

Si la souris était...
Si l'éléphant était...
Si le chat était...
Si le lion était...
Si... était...

un autre animal

une couleur

un véhicule

un objet

2. *Rédige*

Invente un poème ou imite un des poèmes du manuel.

IMITATION DU POÈME LE SINGE

Petite souris toute minuscule
au pelage si doux !
Tu trottines jusqu'au crépuscule,
fouines partout,
grattes des petits trous
et ronges même les choux.

IMITATION DU POÈME LE ZÈBRE

La souris, pensionnaire du grenier,
Grignote les fils, **gratte** le plafond
Et fait son nid de petits papiers
En trottinant dans la maison.

Illustration : Céline Malépart

T Je lis mon poème à voix haute.

M Je souligne les mots incertains.

3. *Corrige et enjolive*

Relève le défi : écrire un poème sans fautes ! A ▷

4. *Récite*

Lis ton poème à la classe à l'occasion d'une matinée de poésie.

Qui a pris mon foulard ?

Moi, je n'ai rien pris du tout. C'est Pastiche. Il l'a pris pour jouer au chat et à la souris.

Prendre

Passé composé de l'indicatif
j' **ai pris**
tu **as pris**
il, elle **a pris**
nous **avons pris**
vous **avez pris**
ils, elles **ont pris**

À l'essai !

1. Dans le texte qui suit, mets le verbe *prendre* au passé composé de l'indicatif.

Zèbres en folie

Assise à la table à dessin, tu ¹✎ un crayon et tu as dessiné la silhouette d'un cheval. Moi, j' ²✎ un pinceau. Je l'ai plongé dans de la gouache noire et j'ai tracé des rayures sur le cheval. Aussitôt, il ³✎ l'allure d'un zèbre. Ensuite, tu ⁴✎ l'initiative de dessiner deux bêtes que j'ai peintes en bleu. Il n'en fallait pas plus pour inventer une histoire :

« À une époque lointaine, tous les zèbres étaient blanc et noir. Un jour, deux zèbres folichons ont revêtu un pyjama à rayures bleues. "Ma parole, vous ⁵✎ froid", dirent les autres zèbres. Une fois la surprise passée, tous les zèbres ⁶✎ part à cette amusante mascarade. »

Pour créer un troupeau de zèbres multicolores, nous ⁷✎ de la gouache rouge, de la verte et de la jaune !

2. Dans le premier paragraphe du texte *Zèbres en folie*, repère trois verbes au passé composé de l'indicatif autres que le verbe *prendre*.

À ton tour !

1. Complète les phrases suivantes à l'aide du verbe *prendre* employé au passé composé de l'indicatif. Trouve ensuite pourquoi ces phrases sont insensées.

Phrases insensées

a) Julie ✎ son bain avec le poisson rouge.

b) Les marins ✎ la mer pour entreprendre un long voyage vers la Lune.

c) Nous ✎ l'autobus au milieu de la piste d'atterrissage.

d) Le voleur ✎ la poudre d'escampette en patins à roulettes.

e) Tout l'été, la cigale et la fourmi ✎ la vie en riant.

f) Paul et Chloé, vous ✎ les biscuits du chien pour y goûter ?

g) Tu ✎ ton courage à deux mains pour sauter au cou de la girafe rose.

h) Florence et moi, nous ✎ le temps de lire les yeux fermés.

i) J' ✎ la peine d'ouvrir toutes les fenêtres avant l'orage.

2. Complète le poème suivant en écrivant les verbes indiqués au passé composé de l'indicatif.

Un renard froussard

Gaston le renard,
savez-vous
comme il est froussard ?

Le jour où il ^{1}(voir) un hibou,
il ^{2}(prendre) ses jambes à son cou.
La nuit où il ^{3}(vouloir) hurler,
au son de sa propre voix,
il est allé se cacher.

Un jour, ses amis lui ^{4}(dire) :
« Nous te lançons un défi.
Gaston, si tu n'es pas une poule mouillée,
alors, attaque un poulailler ! »

Gaston ^{5}(vouloir) montrer
son courage et sa bravoure.
Mais, devant le fusil du fermier,
il ^{6}(prendre) le chemin du retour.

Voyant son air piteux,
nous ^{7}(savoir)
qu'il avait sauvé sa vie,
mais raté le défi.

Nous lui ^{8}(dire) :
« Mieux vaut un animal poltron
qu'une fourrure sans vie. »
Rassuré, il ^{9}(pouvoir) retourner
se terrer dans son terrier.

3. Fais l'analyse des verbes en caractères gras dans les phrases qui suivent.

Verbe conjugué	Infinitif	Temps	Personne	Nombre	Sujet
1. a pris	prendre	passé composé de l'indicatif	3e personne	singulier	girafe

a) La girafe ¹**a pris** le temps de s'asseoir parce qu'elle ²**avait** le vertige.

b) Le petit singe ³**épluchera** des pépins et ⁴**croquera** des amandes.

c) Quand je ⁵**dis** blanc, il ⁶**dit** noir.

d) Les cris du zèbre ⁷**résonneront** dans la prairie.

4. Repère le verbe conjugué dans chacune des phrases qui suivent. Analyse chaque verbe en remplissant un tableau semblable à celui de l'exercice 3.

a) Tu grignotes des bonbons.

b) Elle avait mauvaise haleine.

c) Tu n'es qu'un petit singe au malicieux minois.

d) Et le vent balance la feuille juste au-dessus de l'écureuil.

e) Elle a pris le profil de la tour de Pise.

f) Le vent attend pour la poser légèrement sur la bruyère.

Illustrations : Virginie Faucher

5. Compose une phrase et fais-en analyser le verbe par un ou une élève de la classe. Corrige son analyse.

À vos marques !

1. Trouve un mot de la rubrique «Mot à mot» qui contient chacun des mots mentionnés.

a) vite

b) éveil

c) tour

d) proche

e) tard

f) appel

2. Repère les verbes de la rubrique «Mot à mot» correspondant aux définitions qui suivent.

a) Rendre plein.

b) Appeler de nouveau.

c) Prendre le premier repas de la journée.

d) Demeurer au même endroit.

e) Tirer quelqu'un du sommeil.

f) Épuiser.

g) Mettre plus près.

Illustration : Hélène Desputeaux

3. À l'aide du pronom *leur* ou *y,* élimine les répétitions.
Écris la formulation ainsi obtenue.

a) C'est Pauline et Thérèse qui arrivent. Nous demandons **à Pauline et à Thérèse** de nous attendre.

b) Nous aimons la terrasse. Nous déjeunons **sur la terrasse** tous les jours.

c) Les élèves ont des leçons à apprendre. Je rappelle **aux élèves** d'apporter leur manuel.

d) L'été, nous louons un chalet au bord d'un lac. Nous restons **au chalet** deux semaines.

Mot à mot

4.2.2

juin	rêver	leur	pleine
déjeuner	fin de semaine	y	sec
souper	fatiguer	verre	sèche
accident	santé	vrai	
approcher	suivant	vraie	
rester	suivante	vue	
retourner	suite	vitesse	
question	proche	plein	
appeler	rayon		
rappeler	remplir		
retard	vivant		
réveiller	vivante		

Délire de lire

Quelle est ta chanson préférée ?

Écoute-la attentivement et transcris les paroles. Quelles images t'inspire cette chanson ?

La personne qui compose écrit-elle d'abord la musique ou les paroles ?

Qui se ressemble s'assemble

Louise Sylvestre

? • Qu'as-tu appris jusqu'à maintenant sur les mammifères ?

••• • Associe chaque description à l'un des mammifères apparaissant sur les photos des pages 94 à 97.

Je fais appel à mes connaissances.

1. Loup.

2. Dauphin à flancs blancs.

a) Cet animal passe sa vie dans l'eau. Son corps a la forme d'une torpille. Sa peau est nue, ce qui lui permet de nager vite et sans effort. Sa vitesse peut atteindre 50 kilomètres à l'heure, et il saute très haut. Après 11 mois de gestation, la femelle donne naissance à un petit. Celui-ci boit le lait de sa mère sous l'eau. Après plusieurs mois, il se nourrira de poissons, comme ses parents.

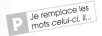 Je remplace les mots *celui-ci, il...*

M Devant un mot inconnu, je...

b) On rencontre cet animal nocturne à la campagne ou en banlieue. Il se nourrit d'à peu près tous les aliments qu'il trouve. Son pelage noir et blanc est facilement reconnaissable. Pour se défendre, il projette un liquide malodorant sur ses ennemis. Après environ 68 jours de gestation, la femelle met au monde deux à dix petits qu'elle allaite pendant sept semaines.

3. Mouffette rayée.

5. Renard roux.

4. Gerbille.

J'utilise la ponctuation.

c) Depuis des milliers d'années, il est le compagnon des êtres humains. Toutefois, il a gardé certaines caractéristiques de ses ancêtres : habitudes nocturnes, vision perçante, griffes aiguisées, agilité des chasseurs carnivores. Deux ou trois fois par année, la femelle donne naissance à une portée de un à huit petits, après 62 jours de gestation. Les petits sont indépendants de leur mère à huit semaines.

d) Strictement herbivore, cet animal habite la forêt. Brun en été, blanc en hiver, son pelage l'aide à passer inaperçu. S'il est surpris malgré tout, il s'enfuit en bondissant. Après 36 jours de gestation, la femelle accouche de deux à quatre petits qui deviennent vite autonomes. Ils sautillent quelques heures après leur naissance, grignotent à une semaine et quittent leur mère à un mois.

M passer inaperçu ?

e) Cet animal vit dans les champs et se nourrit de plantes sauvages. On le voit souvent dressé à l'entrée de son terrier, où il se réfugie à la moindre alerte. Il y passe l'hiver, dans un sommeil très profond. Environ quatre petits naissent au printemps, après une gestation de 28 à 32 jours. Ils sortent du terrier à l'âge du sevrage, vers quatre semaines.

M sevrage ?

6. *Chauve-souris nordique.*

7. *Lièvre.*

8. *Chat.*

f) C'est le seul mammifère qui puisse voler. Actif la nuit, il se dirige en émettant des sons et en analysant leur écho. Pour se reposer, il se suspend la tête en bas en enveloppant son corps poilu de ses ailes faites d'une membrane nue. La femelle a un seul petit, après deux mois de gestation. À un mois, le petit maîtrise bien le vol et peut chercher seul les insectes dont il se nourrit.

P Avec une phrase, j'en fais plusieurs.

M membrane ?

M fréquente ?

g) Cet animal se construit un nid de feuilles à la fourche d'un arbre ou il habite un arbre creux. La plupart du temps, il fréquente les parcs. Il saute d'arbre en arbre, redescend, la tête en bas, grimpe rapidement. Il se nourrit de noix qu'il cache pour se faire des réserves. Après environ 44 jours de gestation, la femelle met au monde trois à cinq petits, qu'elle allaite pendant plus de deux mois.

h) Cet animal du désert passe la journée dans son terrier, afin d'éviter la chaleur. Il sort la nuit pour se nourrir de végétaux et de graines. Il se déplace par bonds, se dressant souvent pour observer les alentours de ses grands yeux. La durée moyenne de gestation de la femelle est de 23 jours. Les petits, au nombre de trois à sept, sont sevrés vers l'âge de un mois.

9. Marmotte.

10. Écureuil gris.

11. Vache.

i) Cet animal vit en meute organisée dans les forêts éloignées, où il chasse de grosses proies. Ses hurlements nocturnes avertissent les autres que sa meute a pris possession d'un territoire. Après 63 jours de gestation, la femelle accouche de cinq à sept petits. Sevrés à deux mois, ils poursuivent leur éducation avec la meute jusqu'à l'âge de deux ans.

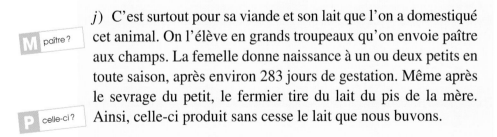

M nocturnes ?

j) C'est surtout pour sa viande et son lait que l'on a domestiqué cet animal. On l'élève en grands troupeaux qu'on envoie paître aux champs. La femelle donne naissance à un ou deux petits en toute saison, après environ 283 jours de gestation. Même après le sevrage du petit, le fermier tire du lait du pis de la mère. Ainsi, celle-ci produit sans cesse le lait que nous buvons.

M paître ?

P celle-ci ?

k) On voit peu cet animal timide, mais on le reconnaît facilement à son pelage épais, à sa queue touffue et à son museau pointu. Son ouïe et son odorat, très développés, l'aident à trouver ses proies. À l'abri dans sa tanière, la femelle accouche de quatre ou cinq petits, au terme d'une gestation de 52 jours. Les petits ont un mois lorsqu'ils sont sevrés et quatre mois quand ils quittent leur famille, l'automne venu.

M proies ?

Associe...

1. Quel mammifère correspond à chaque description ?

Explique...

2. À quelles connaissances as-tu fait appel pour comprendre la phrase « Brun en été, blanc en hiver, son pelage l'aide à passer inaperçu. » (description *d*, p. 95) ?

3. De qui parle-t-on dans la phrase « Celui-ci boit le lait de sa mère sous l'eau. » (description *a*, p. 94) ? dans la phrase « Ainsi, celle-ci produit sans cesse le lait que nous buvons. » (description *j*, p. 97) ?

4. Que signifie le préfixe *in-* dans le mot *inaperçu* (description *d*, p. 95) ? Quels autres mots commençant par le préfixe *in-* ou *im-* connais-tu ?

5. Reformule la partie de phrase « ... (il) peut chercher seul les insectes dont il se nourrit. » (description *f*, p. 96) ?

Sélectionne...

6. Sous quels aspects présente-t-on les mammifères dans les deux premières descriptions ?

7. En équipes, remplissez un tableau dans lequel vous comparerez les mammifères décrits dans le texte *Qui se ressemble s'assemble* et d'autres mammifères de votre choix.

Les caractéristiques des mammifères			
Mammifère	Milieu de vie	Type de peau	etc.
a) Dauphin à flancs blancs *b)* Mouffette rayée			

8. Consultez des livres de référence pour trouver des renseignements sur les mammifères que vous avez choisis.

• En équipes, formulez le plus d'observations possible à partir des données consignées dans votre tableau.

[!] • Comment peux-tu classer les mammifères figurant sur les photos des pages 94 à 97 ?

 Comment faire ?

Pour classer des éléments :
- j'observe les caractéristiques communes à plusieurs éléments,
- je place les éléments qui se ressemblent dans un même groupe,
- je donne un nom à chacun de ces groupes.

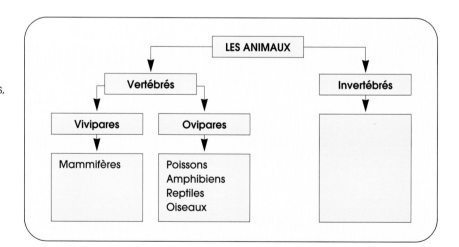

[!] • Qu'as-tu appris sur les caractéristiques des mammifères ?

• Comment l'as-tu appris ?

Pastiche, quel mammifère a un nom de deux lettres ?

J'ai besoin d'un indice, Sourdine. Donne-moi la première et la dernière lettre de son nom.

La virgule

1. La virgule isole un complément placé en début de phrase.

   Au printemps, *la vache donne naissance à un petit.*

2. Elle sépare les éléments d'une énumération.

   Le chien, l'oiseau, le cheval et le poisson *sont des animaux vertébrés.*

3. Elle isole le nom d'une personne à qui on s'adresse dans un dialogue.

   *« **Julia,** ce mammifère est aussi agile que toi ! »*

Illustration : Bruno St-Aubin

À l'essai !

1. Dans les phrases qui suivent, associe chaque virgule à l'une des règles de la note grammaticale.

   a) Un matin, ma sœur est entrée à la maison en criant : « Maman, papa, venez voir ! Il y a une taupe dans le jardin ! »

   b) Mon père s'est empressé de se rendre au jardin : « Delphine, je ne la vois pas. En une minute, elle a disparu. »

   c) La taupe est un animal inoffensif, timide et discret.

   d) À l'aide de ses pattes de devant, elle creuse vaillamment ses galeries.

   e) En une heure, la taupe peut forer un tunnel de un mètre de longueur et plus.

   f) En automne, la taupe creuse de nouveaux tunnels pour chercher des insectes qui s'enfouissent dans le sol.

   g) Elle se nourrit de vers, d'araignées, de fourmis, d'escargots, etc.

   h) Dans les champs, on détecte sa présence aux petits monticules de terre qu'elle repousse en creusant.

Photo : Jardin zoologique du Québec / J. Prescott

2. À quelle question répond chaque complément placé en début de phrase dans l'exercice 1 ?

À ton tour !

1. Copie les phrases suivantes. Ajoute des virgules, s'il y a lieu, et indique le rôle de chacune.
   - virgule dans une *énumération*
   - virgule qui isole un *complément placé en début de phrase*
   - virgule qui isole le *nom d'une personne dans un dialogue*

   a) La baleine bleue est gigantesque solitaire et maternelle.

   b) En été elle visite les eaux du fleuve Saint-Laurent.

   c) La baleine bleue se distingue par sa taille énorme sa nageoire dorsale minuscule et ses fanons noirs.

   d) Chaque jour ce cétacé avale environ deux tonnes de krill, ou petits crustacés.

   e) À sa naissance le baleineau est aussi long qu'une camionnette.

   f) Au bout de six mois il mesure près de 14 mètres !

   g) En une seule journée le nouveau-né boit jusqu'à 100 litres de lait.

   h) Quand nous avons aperçu une baleine bleue dans le fleuve, ma mère s'est exclamée : « Les enfants regardez comme elle est magnifique ! »

   i) Mon petit frère a été effrayé : « Papa elle pourrait faire verser le bateau. »

   j) J'étais à la fois enthousiaste étonnée et émue de voir ce doux géant.

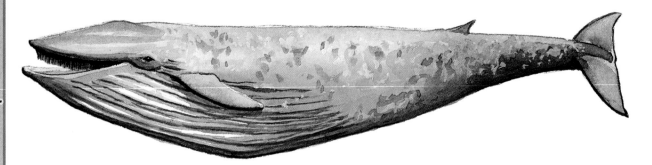

2. Repère et analyse le verbe dans chacune des phrases qui suivent.

   Exemple : La marmotte vit dans les champs.
   vit : verbe vivre, *présent de l'indicatif, 3ᵉ personne du singulier, sujet : marmotte*

   a) Dans les forêts éloignées, les loups chassent de grosses proies.

   b) Nous reconnaissons facilement le renard à sa queue touffue.

   c) L'ouïe et l'odorat du renard l'aident à trouver ses proies.

3. Rédige une phrase qui nécessite une virgule...

   a) pour séparer un complément placé en début de phrase.

   b) pour séparer les éléments d'une énumération.

   c) pour isoler le nom d'une personne à qui on s'adresse dans un dialogue.

Une tournée dans ta région

? • Comment peux-tu te rappeler ce que tu as appris sur ta région ? De quelle façon une visite te permettrait-elle de mieux connaître certains éléments de ta région ?

• Pour choisir des éléments à voir dans ta région, consulte le texte et les photos des pages 101 et 102. Demande-toi quels éléments pourraient être vus lors d'une tournée et où ces éléments sont situés dans ta région. Pour t'aider, consulte les notes prises durant l'année. 5.1.1 ▷

Dans ta région, où pourrais-tu observer...

a) un site où on exploite une ressource naturelle ?

b) un élément du patrimoine ?

c) une étendue d'eau importante ?

d) un musée régional ?

e) une forêt mixte ou une forêt boréale ?

f) un paysage vu d'un belvédère ou d'un haut édifice ?

g) une usine où on transforme
des matières premières ?

h) de l'animation dans les rues
et des services variés ?

ARRÊT

i) un village ?

j) un site où on peut pratiquer
des activités récréatives ?

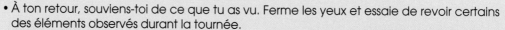

- Que pourrais-tu noter à chaque arrêt ? Pourquoi devrais-tu noter tes observations ?

- Sur quelles routes ou autoroutes circuleras-tu pour faire une tournée dans ta région ?
Quelle distance parcourras-tu durant cette tournée ?

• Avec ta classe, fais une tournée dans ta région. Note ce que tu observes.

- À ton retour, souviens-toi de ce que tu as vu. Ferme les yeux et essaie de revoir certains
des éléments observés durant la tournée.

J'utilise un
vocabulaire précis.

- Qu'as-tu noté sur le relief de ta région ? sur la végétation ? sur l'hydrographie ? sur la
métropole régionale ? sur les ressources naturelles ? sur les activités de transformation des
matières premières ? sur les activités liées aux services et au commerce ? sur les éléments
du patrimoine ?

[!] • Note l'idée qui te vient le plus rapidement à l'esprit en lisant chacun des mots ou
des groupes de mots qui suivent.

région	*hydrographie*	*population*
végétation	*métropole régionale*	*services municipaux*
matière première	*produit*	*relief*
changement	*patrimoine*	*ressources naturelles*
activités d'exploitation des ressources naturelles	*activités liées aux services et au commerce*	*activités de transformation des matières premières*

- Compare tes réponses avec celles des élèves de ta classe. Quels éléments de ta région
connais-tu mieux maintenant ?

En vacances !

Dans quelques semaines, ce sera le début des vacances. Que feras-tu durant toutes ces belles journées ? Propose aux élèves de ta classe une activité de vacances qui rendra celles-ci inoubliables. 5.1.2 a et b ▶

1. Prépare-toi

Note brièvement ce dont tu vas parler.

📢 J'organise mes idées.

Activité :

Renseignements généraux :

Avantages pour les enfants :

Avantages pour les parents :

2. Présente ton activité

📢 J'utilise des objets, des illustrations, etc.

3. Écoute et note

📢 Je pose des questions.

Quelles sont les trois principales activités que tu aimerais faire cet été ?

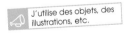

Illustrations : Céline Malépart

Pour mieux réviser, j'ai décidé de survoler les pages de mon manuel.

Illustration : Bruno St-Aubin

1. Dans le texte suivant, choisis un lieu que tu aimerais visiter.

La vallée du Richelieu

« Je t'invite à parcourir un circuit de 100 kilomètres pour découvrir la vallée du Richelieu. Tout d'abord, rends-toi au Parc historique national du Fort-Chambly. Il abrite un centre d'interprétation où on explique aux visiteurs le rôle du fort dans les conflits des derniers siècles.

« Dirige-toi maintenant vers le mont Saint-Hilaire, où tu pourras admirer de nombreux vergers et de magnifiques auberges. Arrête-toi à la chocolaterie belge pour observer les chocolatiers au travail et déguster de divines friandises.

« Je te propose aussi une croisière qui te fera découvrir les beautés de la rivière Richelieu. Enfin, je te suggère des activités de plein air au Parc de conservation du Mont-Saint-Bruno. La vallée du Richelieu t'offre un cadre enchanteur où des villages pittoresques, des quartiers anciens et des villes modernes se côtoient harmonieusement ! »

2. Dans le texte précédent, trouve...

   a) trois groupes du nom (déterminant, nom, adjectif[s] ou déterminant, adjectif, nom),

   b) trois pronoms personnels,

   c) trois verbes conjugués,

   d) trois verbes à l'infinitif,

   e) un adverbe (dernière phrase).

3. Dans le deuxième paragraphe du même texte, trouve...

   a) deux verbes conjugués à l'impératif présent,

   b) un verbe conjugué au futur simple de l'indicatif.

Illustrations : Johanne Pépin

4. Conjugue les verbes entre crochets au présent de l'indicatif. Accorde chaque verbe avec son sujet. Attention aux écrans !

   a) La rivière Richelieu (être) l'une des plus importantes voies navigables du Québec.

   b) La visite guidée te (faire) découvrir la beauté des maisons anciennes.

   c) Le mobilier et l'ornementation de l'église (étonner) les visiteurs.

   d) À Saint-Antoine-sur-Richelieu, les touristes (visiter) des maisons ancestrales.

5. Dans les phrases suivantes, justifie l'accord des adjectifs, des attributs et des participes passés en caractères gras.

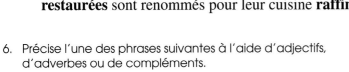

*Exemple : Les activités **nautiques** sont très **attrayantes**.*

a) Cette ville a été **incendiée** par l'armée.

b) Ces friandises tant **désirées** paraissent **succulentes**.

c) Les terres de la région sont **fertiles**.

d) Certains restaurants établis dans de **vieilles** maisons **restaurées** sont renommés pour leur cuisine **raffinée**.

6. Précise l'une des phrases suivantes à l'aide d'adjectifs, d'adverbes ou de compléments.

a) Le village regroupe des maisons et des bâtiments.

b) Dans ce musée, on présente une exposition.

7. Copie les phrases et inscris S (sujet), V (verbe) ou C (complément) au-dessus de chaque mot ou groupe de mots.

a) Mes jeunes invités / aiment / la piscine olympique.

b) La famille Veilleux / parcourt / la piste cyclable / à une vitesse raisonnable.

c) Dans sa carriole, / derrière le vélo de sa mère, / le bébé / dort.

d) Presque tous les jours, / nous / achetons / des fruits frais.

8. Quels sont les compléments que tu ne peux pas déplacer dans les phrases de l'exercice 7 ?

9. Transforme les phrases suivantes en déplaçant un des groupes de mots soulignés. N'oublie pas la virgule !

a) Des champs de blé, d'orge et de maïs s'étendent <u>à perte de vue</u> <u>le long des chemins</u>.

b) Cet ancien poste de traite des fourrures a été construit <u>en 1775</u> <u>tout près d'une rivière</u>.

c) La meunière fabrique son pain <u>sous les yeux des visiteurs</u> <u>près du moulin à vent</u>.

10. Transforme les phrases suivantes en phrases négatives.

a) Chloé déguste un morceau de chocolat.

b) Anne-Marie écoute les commentaires de la guide touristique.

c) Marie est une bonne cycliste.

d) Gabriel assiste à un spectacle de marionnettes géantes.

e) Ce garçon est prudent à bicyclette.

11. À ton tour, rédige un court texte pour faire découvrir ta région.

La poudre d'Escampette
(1ʳᵉ partie)

Robert Escarpit

> • Que signifie l'expression «prendre la poudre d'escampette» ?
> • Qui est Ferdinand Escampette ? Lis le texte et découvre ce personnage et l'aventure qu'il vit.

Quand je lis une histoire, je...

P Devant une phrase longue, je...

M posté ?

M épaula ?

Ferdinand Escampette n'aimait pas tuer. Il aimait la chasse, ce qui était tout différent, et s'il tuait le gibier, c'était surtout par habitude, sans y songer, et puis aussi parce qu'il ne détestait pas un bon rôti cuit à la broche dans sa grande cheminée devant un feu de bois.

Or, un jour, Escampette se trouva posté à quelque distance d'un autre chasseur bien moins habile que lui. Soudain, une bête magnifique bondit hors du fourré juste entre les deux. L'autre chasseur tira avant qu'Escampette ait eu le temps d'épauler. La biche s'écroula. Escampette et son voisin s'avancèrent. La bête n'était pas morte. Le coup de feu lui avait seulement brisé une patte et elle gisait, impuissante, sur le sol. Ses yeux dorés étaient grands ouverts et on y voyait perler des sortes de larmes. L'autre chasseur épaula son fusil pour achever l'animal. Pour le coup, Escampette fut furieux.

« Non, *Diou biban* ! tu ne vas tout de même pas faire ça. Cette bestiole est sans défense. Regarde un peu comme elle est mignonne. Ce serait un assassinat ! Écoute, dit-il à son compagnon. Tu vas prendre la biche que j'ai tuée tout à l'heure, et moi, je vais prendre celle-là. »

Il installa la biche dans la bergerie attenante et entreprit de la soigner. La blessure était grave et il fallut plusieurs semaines avant que l'animal pût tenir faiblement sur ses jambes. Elle s'était accoutumée à Ferdinand et venait manger dans sa main.

De tout ce temps-là, Escampette ne retourna pas à la chasse. La souffrance qu'il avait lue dans les yeux de la biche blessée avait comme terni sa joie. L'hiver passa, et vint la date de la fermeture, quand les fusils doivent se taire pour que le gibier puisse connaître un peu de répit et se reproduire en paix.

P De tout ce temps-là ?

P Avec une phrase, j'en fais plusieurs.

Au mois de septembre, comme à l'accoutumée, il se mit à préparer ses cartouches pour l'ouverture de la chasse. L'ouverture eut lieu par une belle journée au ciel clair et doux, tout parsemé de petits nuages dorés. Escampette prit allégrement le chemin de la forêt et il ne fut pas long à lever un lièvre qui détalait entre les fourrés. Il l'envoya bouler au premier coup de feu et un sourire de satisfaction creusa ses joues maigres. Mais quand il s'approcha du petit cadavre étendu dans l'herbe, sa joie s'évanouit soudain. Il se souvint de la biche blessée.

M lever ?

Les contes de la Saint-Glinglin, Paris, Éditions Magnard Jeunesse, 1995.

Illustrations : Virginie Faucher

Découvre le personnage

1. Imagine que tu décris le caractère de Ferdinand Escampette à un ami ou à une amie. Que dirais-tu à son sujet ?

2. *a)* Quel événement vient bouleverser Ferdinand Escampette ?
   b) Quel changement cet événement provoque-t-il en lui ?

Réagis...

3. Qu'as-tu ressenti en lisant l'épisode portant sur la chasse (page 106) ?

Explique...

4. Cherche dans un dictionnaire les mots *poster*, *épauler* et *lever*. Choisis ensuite la définition qui correspond au sens utilisé dans le texte.

5. À qui Ferdinand Escampette s'adresse-t-il dans la phrase « ...tu ne vas tout de même pas faire ça. » (3e paragr.) ? De quoi parle-t-il ?

6. Quels mots Escampette utilise-t-il pour nommer la biche dans le troisième paragraphe ?

 Je raconte...

7. Raconte un événement qui t'a bouleversé ou bouleversée et décris les changements que cet événement a provoqués en toi.

La poudre d'Escampette

(2ᵉ partie)

Robert Escarpit

> • Lis la seconde partie du texte pour découvrir ce qui arrive au grand chasseur Ferdinand Escampette. Tu apprendras aussi l'origine que Robert Escarpit attribue à l'expression « prendre la poudre d'escampette ».

Tête basse et pas traînant, Ferdinand allait par les sentiers quand il rencontra le médecin du village qui, lui aussi, était un grand chasseur.

P — Je sais qui parle.

« Ça ne va pas, Ferdinand ? Tu as l'air bien abattu. Ce ne serait pas une mauvaise grippe qui couve ?

– Ce n'est pas ça, docteur. Voilà, j'ai perdu le goût de tuer les animaux. Ça me rend malade.

– Voilà qui est ennuyeux pour un chasseur comme toi. Mais si la chasse te déplaît, tu pourrais peut-être faire autre chose. Chercher des champignons, par exemple. Ou bien aller à la pêche. Il paraît qu'on prend de très beaux gardons dans l'étang de la Tuque.

T — Je lis les tentatives de solution.

M — gardons ?

– C'est que je n'ai pas perdu le goût de la chasse, docteur. J'aime toujours autant tirer des coups de fusil sur les animaux. C'est les tuer que je ne supporte pas.

P — les ?

– Tu pourrais essayer de les rater.

– Impossible, docteur. C'est la force de l'habitude, voyez-vous. Avec moi un coup qui part, c'est un coup qui touche. Je n'y peux rien.

– Diable, ton cas est difficile. Écoute, je connais à Luxey un vieux pharmacien qui est un peu alchimiste et qui est aussi chasseur par-dessus le marché. Je suis certain qu'il pourrait te donner d'excellents conseils. Je vais te faire une ordonnance pour lui. »

C'est ainsi que, dès le lendemain matin, Escampette prit l'autobus de Mont-de-Marsan et se rendit à Luxey, où il trouva le vieux pharmacien penché sur ses bocaux.

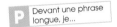

« Hum, dit l'apothicaire après avoir lu l'ordonnance, ce n'est pas un cas ordinaire. À mon avis ce n'est pas toi qu'il faut soigner, c'est ton fusil. Peux-tu me faire voir une de tes cartouches ? »

Escampette en avait toujours quelques-unes dans la poche de sa veste. Le pharmacien en prit une, l'ouvrit, déversa la charge de poudre sur la table de son officine, la huma, la goûta, la pesa, l'analysa.

« Ouais, dit-il, c'est une préparation tout à fait particulière.

– Elle me vient de mon grand-père qui la tenait de son grand-père.

– Prends ce flacon. Désormais tu en mêleras deux cuillerées à chaque kilogramme de poudre que tu prépareras. Et tu verras. Je veux bien être pendu si tu arrives à toucher un seul animal avec une charge pareille. Il y aura le bruit, la fumée, l'odeur, le plomb partira, mais jamais, jamais, tu entends, il n'atteindra son but. C'est bien ce que tu voulais ? »

Escampette redevint le plus grand chasseur de la région, mais un chasseur qui ne faisait jamais de mal à personne. Les autres chasseurs ne furent pas très contents de l'affaire. Le gibier prit de mauvaises habitudes. Quand on lui tirait dessus, il trouvait pour s'enfuir des jambes et des ailes, alors qu'il aurait dû être paralysé par la peur. Mais on s'y fit et quand un faisan, un lièvre ou un perdreau échappait prestement à la mitraille, on disait en riant qu'il prenait la poudre d'Escampette.

P on s'y fit ?

Les contes de la Saint-Glinglin, Paris, Éditions Magnard Jeunesse, 1995.

Illustration : Virginie Faucher

Raconte...

1. Quel est le problème de Ferdinand Escampette ?

2. *a)* Quelles solutions le docteur lui suggère-t-il ?
   b) Laquelle de ces solutions résout le problème ?
   Explique comment elle le résout.

3. Comment se termine cette histoire ?

4. Selon Robert Escarpit, quelle est l'origine de l'expression « prendre la poudre d'escampette » ?

Donne ton point de vue

5. À ton avis, cette histoire est-elle vraie ? Quels éléments du texte te semblent vraisemblables ? invraisemblables ?

Explique...

6. Par quel mot peux-tu remplacer le mot *gardons* pour mieux comprendre la phrase « Il paraît... » (page 108) ? le mot *officine* pour comprendre le phrase « Le pharmacien... » (page 109) ?

7. Que désigne le pronom *les* dans la phrase « Tu pourrais essayer de **les** rater. » (page 108) ? le mot *quelques-unes* dans la phrase « Escampette en avait toujours **quelques-unes** dans la poche de sa veste. » (page 109) ?

8. Dans le dialogue entre le médecin et Ferdinand, comment peux-tu savoir qui parle en premier ?

Au sujet de...

Du calme, Truc-Astuce. Ce n'est rien de grave.

Les phrases

Une même idée peut être formulée de plusieurs façons.

- **Phrase interrogative** — *As-tu déjà vu une biche aussi mignonne ?*
- **Phrase impérative** — *Regarde un peu comme cette biche est mignonne.*
- **Phrase exclamative** — *Cette biche est si mignonne !*
- **Phrase déclarative** — *Je trouve cette biche mignonne.*
- **Phrase négative** — *Cette biche n'est pas laide du tout.*

Pourquoi es-tu si énervé ?

Comme tu t'énerves facilement !

Illustration : Bruno St-Aubin

À l'essai !

1. Dans le texte suivant, trouve...
   - *a*) deux phrases interrogatives,
   - *b*) deux phrases exclamatives,
   - *c*) deux phrases impératives,
   - *d*) deux phrases déclaratives,
   - *e*) deux phrases négatives.

   Écris les numéros correspondant à ces phrases.

Tel est pris qui croyait prendre !

« [1] Je ne suis pas née de la dernière pluie. [2] Je l'aurai, ce renard. [3] Je le poursuis depuis une heure . [4] Ce sera bientôt terminé. [5] Parole de chasseuse ! [6] Montre-toi, petit renard. [7] Aurais-tu peur de moi, par hasard ? [8] J'entends un bruit qui provient d'un buisson. [9] On dirait une bête. [10] C'est sûrement lui. [11] Il se croit rusé. [12] Mais il ne m'échappera pas. [13] Bizarre, quelle drôle d'odeur ! [14] Qu'est-ce que c'est ? [15] Je ne dois pas me laisser distraire. [16] Surtout, ne bougeons pas. [17] Je regarde bien droit dans mon viseur. [18] Et pan ! Je tire ! [19] Allons maintenant voir cette bête de près. [20] Zut alors ! Ce n'est pas un renard, mais une mouffette ! »

Illustration : Hélène Desputeaux

2. Rédige trois questions dont les réponses sont dans le texte *Tel est pris qui croyait prendre !*

1. Imagine ce que disent les personnages figurant sur chaque illustration. Utilise deux types de phrases (impérative, interrogative, exclamative ou déclarative) pour exprimer leur réaction.

a)

b)

2. Transforme les phrases suivantes selon les indications.

a) *Phrase exclamative :* Tu as une mémoire d'éléphant.

b) *Phrase interrogative :* Il avance comme un escargot.

c) *Phrase négative :* Grand-maman se lève avec les poules.

d) *Phrase interrogative :* Elle prend le taureau par les cornes.

e) *Phrase interrogative :* Ils sont serrés comme des sardines !

f) *Phrase négative :* Donne ta langue au chat !

3. Transforme quatre phrases du texte suivant en phrases impératives.

Pâte à modeler

Pour faire de la pâte à modeler, vous aurez besoin de 50 ml de farine, 50 ml de sel, 400 ml de bicarbonate de soude, 250 ml de fécule de maïs et 300 ml d'eau froide.

Vous mélangez tous les ingrédients dans une casserole. Vous placez la casserole sur un feu moyen. Vous brassez jusqu'à ce que le mélange ressemble à de la purée de pommes de terre. Vous déposez ensuite la pâte dans une assiette. Vous couvrez votre pâte d'un linge humide. Vous séparez la pâte refroidie en trois ou quatre morceaux. Vous pétrissez chaque morceau après y avoir ajouté quelques gouttes de colorant végétal. Vous rangez la pâte à modeler dans un sac de plastique jusqu'au moment où vous en aurez besoin pour créer vos chefs-d'oeuvre.

4. Rédige trois questions que tu aimerais poser à un chasseur ou à une chasseuse.

Êtes-vous des cyclistes avertis ?

☺ • Pense à ta plus récente balade en vélo. À quels éléments de la signalisation routière portes-tu attention ? Quelles règles de sécurité respectes-tu ? De quels accessoires est équipée ta bicyclette ?

☺ • Quel genre de cycliste es-tu ? Pour le savoir, fais le test qui suit. Recouvre ton texte d'un acétate, lis tous les énoncés et coche ceux qui correspondent à tes comportements.

J'observe le texte.

Je lis ce texte pour...

La bicyclette est un moyen de transport rapide, silencieux et écologique. Elle permet de se faufiler partout. Mais elle peut aussi être dangereuse. Il faut savoir bien l'utiliser !

1. Aux feux de circulation,

J'utilise les illustrations.

a) j'immobilise ma bicyclette avant la ligne d'arrêt tracée sur la chaussée.

b) je m'arrête, sauf si j'ai déjà commencé à traverser l'intersection.

c) je laisse passer les piétons et les véhicules, puis je continue ma route.

2. Je signale mon intention...

a) de tourner à droite en élevant mon avant-bras verticalement vers le haut.

b) d'arrêter en pointant mon avant-bras verticalement vers le bas.

c) de tourner à gauche en étendant mon bras vers la gauche.

Illustrations : Daniel Dumont

3. Si j'aperçois les panneaux suivants sur ma route,

a) je circule dans le sens indiqué par la flèche.

b) je sais que j'approche d'un passage à niveau et je me prépare à immobiliser ma bicyclette.

c) je fais un arrêt complet et je cède le passage aux autres véhicules.

d) je ne circule pas à cet endroit, car l'accès en est interdit aux bicyclettes.

e) j'emprunte la piste ou la bande cyclable.

4. Lorsque je circule à bicyclette avec des amis,

a) je roule sans faire d'acrobaties.

b) je suis toujours seul ou seule sur ma bicyclette.

c) je roule en file dans le même sens que la circulation.

d) je roule sans jamais m'accrocher à un véhicule en mouvement.

e) j'applique doucement les freins lorsque c'est nécessaire.

f) je porte attention aux grilles d'égout ainsi qu'aux piétons et aux animaux qui pourraient surgir entre deux véhicules.

g) je porte toujours mon casque de protection.

5. Si je transporte un colis,

a) j'évite de le placer sur un véhicule jouet.

 b) je le mets sur un porte-bagages ou dans un sac à dos, pour pouvoir tenir constamment mon guidon.

6. Ma bicyclette est équipée des accessoires suivants :

a) un réflecteur blanc à l'avant, un rouge à l'arrière et un ambre sur chaque pédale.

b) un réflecteur ambre aux rayons de la roue avant et un rouge aux rayons de la roue arrière.

c) un phare blanc à l'avant et un feu rouge à l'arrière pour la conduite de nuit.

d) un fanion, un drapeau latéral, un porte-bagages ou un antivol.

M ambre ?

M fanion ?

M drapeau latéral ?

Interprétation des résultats

Accorde-toi un point par énoncé que tu as coché.

- Si tu as obtenu 19 points et plus, bravo ! Tu fais partie du club des cyclistes prudents et prévoyants.

- Si tu as obtenu moins de 19 points, attention ! Il est risqué d'être audacieux et aventureux à bicyclette !

Illustrations : Daniel Dumont

Sélectionne et réagis...

☺ 1. Quel est ton résultat ? Est-ce qu'il correspond à l'opinion que tu as de toi-même ?

☺ 2. Que devrais-tu améliorer ?

Explique...

3. Quelles phrases ou quels mots as-tu mieux compris à cause de la présence des illustrations ?

4. Par quels mots peux-tu remplacer le mot *sauf* dans la phrase « ... je m'arrête, **sauf** si j'ai déjà commencé à traverser l'intersection. » (1 *b*) ? le mot *car* dans la phrase « ... je ne circule pas à cet endroit, **car** l'accès en est interdit... » (3 *d*) ?

5. De quoi parle-t-on dans la partie de phrase « ... j'évite de le placer... » (5 *a*) ? « ... je le mets sur un porte-bagages... » (5 *b*) ?

☺ • Parmi les accessoires nommés au numéro 6, lesquels sont obligatoires ? lesquels sont recommandés ? À quoi servent-ils ?

☺ • Pourquoi est-il important de respecter les règles de sécurité à bicyclette ?

☺ • Qu'as-tu appris en faisant ce test ?

• Y a-t-il des pistes cyclables dans ta région ? Quelles localités relient-elles ? Comment peux-tu le savoir ?

Avec **JE**,
je pense
e, s, x, ai.

Avec
TU,
tu penses
s, x.

Avec
IL ou **ELLE**,
il pense
d, a, t, e.

Avec
NOUS,
nous pensons
ons.

Avec **VOUS**,
vous pensez
ez.

Avec
ILS ou **ELLES**,
elles pensent
ent, ont.

FÊTE
DE
VILLAGE

Où allez-vous
comme ça ?

Illustration : Bruno St-Aubin

À l'essai !

Trouve quatre verbes correspondant à des actions faites par les personnages figurant sur l'illustration.
Écris l'infinitif de ces verbes et conjugue-les à toutes les personnes, au présent de l'indicatif.

Illustration : Sophie Lapointe

À *ton tour !*

1. Voici quelques règles de sécurité à observer lorsqu'on est passager ou passagère d'une automobile. Écris les verbes entre crochets au présent de l'indicatif, à la première personne du singulier.

   a) Je (porter) et je (boucler) ma ceinture de sécurité.

   b) Je (monter) et je descends du côté du trottoir ou de l'accotement.

   c) Je (rester) assis ou assise sur mon siège tout au long du trajet.

   d) Je (garder) la tête et les bras à l'intérieur de l'auto.

   e) Je (parler) calmement pour ne pas déranger le conducteur ou la conductrice.

2. Transforme les phrases précédentes en les écrivant à la première personne du pluriel, au présent de l'indicatif. Transforme aussi certains mots, s'il y a lieu.

3. À l'aide des mots mentionnés et d'autres mots de ton choix, écris trois comportements sécuritaires. Mets-les au présent de l'indicatif, à la troisième personne du singulier.

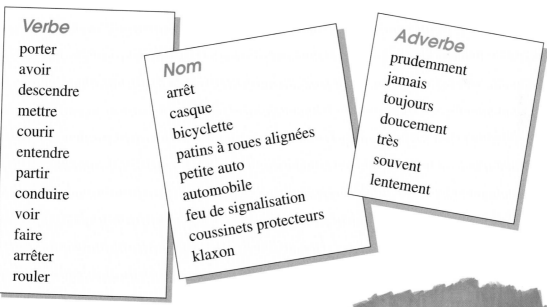

Verbe

porter
avoir
descendre
mettre
courir
entendre
partir
conduire
voir
faire
arrêter
rouler

Nom

arrêt
casque
bicyclette
patins à roues alignées
petite auto
automobile
feu de signalisation
coussinets protecteurs
klaxon

Adverbe

prudemment
jamais
toujours
doucement
très
souvent
lentement

4. Transforme les phrases que tu as composées à l'exercice précédent en les écrivant au présent de l'indicatif, à la troisième personne du pluriel.

5. Ton copain ou ta copine a reçu des patins à roues alignées en cadeau. Donne-lui trois conseils sur la façon de pratiquer ce sport en toute sécurité. Commence chacune de tes phrases par le pronom *tu.*

Pas de vacances pour la sécurité !

Les vacances s'en viennent ! Sensibilisez les élèves de votre école aux règles de sécurité à respecter au cours de la période estivale. Soyez originaux dans votre présentation ! 5.3.1 ▷

1. Planifiez

En équipes, choisissez un sujet. Trouvez ensuite des règles de sécurité et des conséquences liées au non-respect de ces règles.

J'imagine.

Je fais appel à mes connaissances.

2. Rédigez

Écrivez un court paragraphe cohérent et intéressant.

M Je souligne les mots incertains.

P Je relis chaque phrase.

À bicyclette, pas de folies !
Je porte mon casque de vélo.
Je ne joue pas au héros.

3. Révisez

Lisez votre texte à une autre équipe. Écoutez les commentaires émis. Devriez-vous modifier certains passages ?

Rédigez un texte sans fautes.

A ▷

Je laisse des traces de ma révision.

« bonnes chaussures »
Je pense que tu pourrais trouver un adjectif plus précis.

Illustrations : Céline Malépart

4. Diffusez

Faites une affiche, puis présentez vos conseils de manière originale.

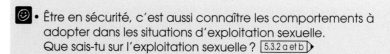

☺ • Être en sécurité, c'est aussi connaître les comportements à adopter dans les situations d'exploitation sexuelle. Que sais-tu sur l'exploitation sexuelle ? 5.3.2 a et b ▷

Au sujet de...

Te rappelles-tu, Muscade ?

Oh oui ! Et dire que je suis un expert en verbes maintenant ! On change, n'est-ce pas ?

Illustration : Bruno St-Aubin

Danser

Présent de l'indicatif	Imparfait de l'indicatif	Futur simple de l'indicatif
je dans**e**	je dans**ais**	je danse**rai**
tu dans**es**	tu dans**ais**	tu danse**ras**
il, elle dans**e**	il, elle dans**ait**	il, elle danse**ra**
nous dans**ons**	nous dans**ions**	nous danse**rons**
vous dans**ez**	vous dans**iez**	vous danse**rez**
ils, elles dans**ent**	ils, elles dans**aient**	ils, elles danse**ront**
Passé composé de l'indicatif	**Conditionnel présent**	**Impératif présent**
j' **ai dansé**	je danse**rais**	
tu **as dansé**	tu danse**rais**	dans**e**
il, elle **a dansé**	il, elle danse**rait**	
nous **avons dansé**	nous danse**rions**	dans**ons**
vous **avez dansé**	vous danse**riez**	dans**ez**
ils, elles **ont dansé**	ils, elles danse**raient**	

À l'essai !

1. En équipes, complétez le poème suivant, qui évoque un monde où la réalité est inversée. Utilisez des verbes au présent de l'indicatif.

Un monde à l'envers

Je connais un monde où...

les vaches *picorent* et les poules *broutent*

la fermière *pond* des œufs et la poule *bat* l'omelette

le professeur *chahute* et les élèves *disputent*

...

Illustration : Sophie Lapointe

2. Complète chaque phrase en utilisant le plus grand nombre possible de verbes à l'imparfait de l'indicatif.

a) Je ✎ la porte.   *b*) Il ✎ sa chemise.   *c*) Nous ✎ le papier.

1. Repère les verbes conjugués dans le texte *Pour la belle Julie* et classe-les dans un tableau.

Présent de l'indicatif	Imparfait de l'indicatif	Passé composé de l'indicatif	Conditionnel présent

Pour la belle Julie

Frédéric adore faire de la bicyclette. Pourtant, hier, il a demandé à ses parents :

« Je voudrais échanger mon vélo contre des patins à roues alignées. Vous êtes d'accord ?

– Et si tu regrettais ton choix ?

– Mais non, tous mes amis ont des patins. Ils disent que c'est super ! »

Frédéric n'a pas dit toute la vérité sur cette envie subite de changement. Hier, il a vu la belle Julie en patins à roues alignées. Tous les moyens sont bons pour séduire l'élue de son cœur !

2. Complète les phrases suivantes en conjuguant chaque verbe entre crochets au temps indiqué.

La cohabitation sur l'eau

L'été, les gens ^{1}(avoir, présent de l'indicatif) l'esprit à la fête. Parfois tellement qu'ils ^{2}(finir, présent de l'indicatif) par oublier toute prudence. Vous ^{3}(savoir, présent de l'indicatif) que de tragiques accidents surviennent chaque été sur les lacs du Québec. Si nous ^{4}(être, imparfait de l'indicatif) plus vigilants, nous ^{5}(pouvoir, conditionnel présent) éviter la plupart de ces tragédies.

Il arrive, par exemple, que certaines gens qui ^{6}(vouloir, présent de l'indicatif) se détendre et se rafraîchir oublient que la navigation et l'alcool ^{7}(faire, présent de l'indicatif) un mélange explosif. Certaines personnes se comportent aussi comme si elles ^{8}(être, imparfait de l'indicatif) seules sur l'eau, alors qu'il y a souvent des canots à moteur, des planches à voile, des nageurs, etc. Si nous ^{9}(faire, imparfait de l'indicatif) preuve de respect et de prudence, les vacances ^{10}(être, conditionnel présent) plus agréables !

3. Note le temps et le mode auxquels sont conjugués les verbes en caractères gras et trouve leur infinitif.

Un système antivol efficace

Chez nous, des minuteries *1* **ouvrent** et *2* **ferment**
les rideaux, les luminaires et la télévision à différentes
heures du jour et de la nuit. De la rue, on *3* **peut** entendre
mon frère et ma sœur se chamailler... sur cassette ! Si
quelqu'un *4* **approche** trop près de la maison, un détecteur
de mouvements *5* **déclenche** une sirène très bruyante.
Si un rôdeur *6* **avait** l'intention de cambrioler notre
maison, je suis certaine qu'il *7* **ferait** demi-tour.
Désormais, nous *8* **pouvons** partir l'esprit tranquille !

4. Dans le texte *L'escalade en toute sécurité*, repère...

a) un verbe au futur simple de l'indicatif,

b) un verbe à l'impératif présent,

c) un verbe au conditionnel présent,

d) deux verbes à l'imparfait de l'indicatif,

e) deux verbes au passé composé de l'indicatif.

L'escalade en toute sécurité

Hier matin, lorsque j'ai dit à mon père que j'allais
faire de l'escalade avec tante Monique, il a répliqué :

« Avec tes idées de casse-cou, tu finiras par te briser
une jambe !

– Mais non, papa ! Viens donc avec nous ! Tu verras,
l'escalade est un sport très sûr si on le pratique
selon les règles. Nous portons un casque, nous nous
attachons solidement à une corde et nous sommes très
prudentes. Tu pourrais même essayer, si tu voulais. »

Finalement, papa a accepté de nous accompagner.
Je l'ai convaincu d'escalader une paroi pas trop élevée...
et il a aimé ça !

Illustrations : Johanne Pépin

Délire de lire

Un signet en coin

Décore le coin d'une enveloppe déjà utilisée.
Découpe-le.

Prends le volume que tu lis présentement et glisse
ton coin décoré sur le coin de la dernière page que
tu as lue. Ainsi, tu pourras la retrouver facilement !

Offre des signets en coin à tes amis et à tes parents !

Illustration : Bruno St-Aubin

Au revoir !

Serge Bureau

- Amuse-toi à lire la bande dessinée suivante, dans laquelle figurent Mémo et ses amis. Profite de ta dernière chance de rire avec ces joyeux lurons !

Comment pourras-tu traverser une étendue d'eau ? Hum... j'ai peut-être ce qu'il te faut !

Avec mon lecteur de disques compacts, tu pourras te divertir.

Mémo ! Mémo ! Voici un moteur pour t'éviter l'épuisement.

Ajoute ces hélices, qui te permettront de survoler les obstacles.

Mémo, apporte cette boîte aux lettres. Tu pourras nous donner de tes nouvelles.

Je pars, mais j'ai beaucoup de peine de vous quitter.

Alors là, j'ai vraiment tout ce qu'il faut pour te rendre heureux.

Réagis...

1. Que penses-tu de Mémo et de ses amis ?
   Quel est ton personnage préféré ? Pourquoi ?

2. Quelle a été ton activité favorite dans
   Mémo 4 ? Justifie ton choix.

Au sujet de...

Alphazoo

Complète l'alphabet zoologique ci-dessous en utilisant un dictionnaire.

Âne

    Bœuf

        Canard

            D...

Le pique-nique à la queue leu leu

Deux équipes s'affrontent pour organiser le pique-nique le plus copieux.

À tour de rôle, les membres des équipes nomment un aliment commençant par la lettre A, par la lettre B, par la lettre C, etc. Quelle équipe mangera du **z**este de citron ?

Je vais en pique-nique. J'apporte un ananas.

Je vais en pique-nique. J'apporte un ananas, une baguette de pain...

Des expressions prises au pied de la lettre

À l'aide du dictionnaire, trouve des expressions contenant le nom d'une partie du corps. Dessine un personnage illustrant ces expressions, en les prenant au pied de la lettre.

avoir un sourire en coin

avoir les deux pieds dans la même bottine

avoir le cœur sur la main

La lettre vedette

Compose une phrase qui comporte le plus de mots possible commençant par la même lettre ou le même son.

Six singes sympathiques se sont salués samedi sous sept sapins.

Mots caméléons

Remplace le **p** par un **b**, et l'animal qui pond des œufs devient un objet rond.

Remplace le **f** par un **t**, et l'anniversaire devient la partie supérieure de ton corps.

Remplace le **b** par un **m**, et l'objet rond que tu lances devient une énorme valise.

À ton tour de créer des mots caméléons ! Essaie avec les mots *mère, fort, patte, six*, etc.

Rébus

Un dernier mémo

Pour savoir ce qu'a écrit Mémo, remplace chaque lettre par celle qui la précède dans l'alphabet.

Exemple : B = A, C = B, D = C, etc.

Deux personnages de la bande de Mémo se préparent à rédiger leur message. Leurs prénoms totalisent 17 lettres et contiennent les mêmes voyelles.

Qui sont ces deux personnages ?

Remémore-toi...

ce que tu as découvert en sciences durant l'étape

Avril   *Mai*   *Juin*

• Dans quel ensemble physiographique du Québec ta région est-elle située ?

– Décris le relief, la végétation, l'hydrographie, le sol et le sous-sol de cet ensemble physiographique.

Photo : Hydro-Québec

• Quelles sont les cinq agglomérations urbaines les plus populeuses du Québec ?

– L'une d'elles se trouve-t-elle dans ta région administrative ? Si oui, où est-elle située par rapport à ta localité ?

– Nomme les trois plus importantes agglomérations urbaines de ta région administrative. Laquelle est la métropole régionale ?

• Quel groupe (Inuits, Algonquiens ou Iroquoiens) habitait le territoire de ta région vers 1600 ?

– Décris le territoire, le mode de vie, l'habitation et la nourriture de ce groupe.

• Choisis l'un des aspects suivants pour décrire comment vivaient les gens de ta région au début du siècle.

– Les moyens de transport
– Les villes
– Le travail à la campagne
– Le travail à l'usine
– Les commerces et les services

Photo : Ginette Létourneau

Photos : Jardin zoologique de Granby

• Qu'as-tu appris sur les mammifères ?

– Quelles sont leurs caractéristiques ?

– Donne des exemples de mammifères vivant sur la terre, dans l'eau et dans les airs.

– Décris chacune des étapes de leur développement.

– Comment se nourrissent-ils ?

– Quelle relation y a-t-il entre leur dentition et leur alimentation ?

– Comment s'appelle leur mode de reproduction ? En quoi est-il différent de celui des ovipares ?

– Quelles expériences ferais-tu pour savoir si une gerbille préfère la clarté ou la noirceur ? l'eau ou le jus de fruits ? les graines de tournesol ou les carottes ? Dans chaque cas, décris la variable et les constantes.

Photo : 1989 Les Éditions Héritage inc.

Liste des notes